ALBANIAN STORIES

FOR BEGINNERS

DIVE INTO ALBANIAN CULTURE, EXPAND YOUR VOCABULARY, AND MASTER BASICS THE FUN WAY!

BY ADRIAN GEE

ISBN: 979-8-324081-98-0

Author's Note

Welcome to "69 Short Albanian Stories for Beginners"! It is my absolute pleasure to guide you through the fascinating journey of learning Albanian, a language woven with history and bursting with cultural richness. This collection of stories is designed to open doors to an engaging and effective way of expanding your vocabulary, mastering basic grammatical structures, and developing a genuine love for the Albanian language.

My passion for languages and education has driven me to create this unique compilation, aiming to make learning the Albanian language accessible, enjoyable, and deeply rewarding for beginners. Each story is carefully crafted to not only provide linguistic insights but also to ignite your imagination and curiosity, transforming language learning into an adventure rather than a chore.

Connect with Me: Join our language learning community on Instagram: @adriangruszka. Share your Albanian learning journey, and let's celebrate your progress together!

Sharing is Caring: If you find joy and progress in your Albanian learning with this book, please share it and tag me on social media. Your feedback is invaluable, and I look forward to seeing how these stories enhance your learning.

Diving into "69 Short Albanian Stories for Beginners" is more than learning a language; it's about discovering new perspectives and the beauty of Albanian culture. Embrace the adventure and enjoy every step towards fluency. Paç fat! (Good luck!)

- Adrian Gee

CONTENTS

INTRODUCTION

Welcome

Welcome to "69 Short Albanian Stories for Beginners," your gateway to learning Albanian through engaging and carefully crafted stories. Whether you're a complete beginner or someone looking to refresh their skills, this book offers a unique approach to mastering the basics of the Albanian language. Let's embark on this linguistic adventure together!

What the Book is About

This book is designed with the beginner in mind, providing a diverse collection of 69 short stories that span various genres and themes. Each story is constructed to introduce you to basic Albanian vocabulary, grammar structures, and cultural nuances in an enjoyable and digestible format. Unlike traditional textbooks, these stories are intended to captivate your interest and stimulate your learning process, making Albanian more accessible and fun to learn.

How the Book is Laid Out

Each story is followed by a glossary of key terms used in the tale, helping you expand your vocabulary. Following the glossary, comprehension questions and a summary in Albanian challenge you to use your new skills and ensure you've understood what you've read. This format is designed to reinforce the material, improve your reading comprehension, and encourage active learning.

Recommendations and Tips on How to Get the Most Out of the Book

1. **Read Regularly:** Consistency is key when learning a new language. Try to read at least one story per day to maintain progress and build your confidence in understanding Albanian.

2. **Use the Glossary:** Refer to the glossary often to familiarize yourself with new words and phrases. Try to use them in your daily practice to enhance retention.

3. **Engage with the Comprehension Questions:** Answer the questions at the end of each story to test your understanding. This reinforces learning and boosts your ability to use Albanian in context.

4. **Practice Out Loud:** Reading aloud helps with pronunciation and fluency. Read the stories or summaries aloud to get comfortable speaking Albanian.

5. **Immerse Yourself:** Beyond this book, try to immerse yourself in the Albanian language through music, movies, and conversation with native speakers. This real-world exposure complements your learning and deepens your cultural understanding.

- Chapter One -

THE LOST KEY

Çelësi i Humbur

Një mëngjes me diell, Anna nuk mund të gjejë çelësin e saj. Ajo ka nevojë për çelësin për të hapur derën e shtëpisë. Anna fillon të kërkojë kudo.

Së pari, ajo kontrollon në xhepin e saj. "A është çelësi im në xhep?" mendon ajo. Por xhepi është bosh.

Pastaj, Anna kujtohet se mund ta ketë lënë çelësin brenda në shtëpi. Ajo shkon te dritarja për të parë brenda. Por nuk mund ta shohë çelësin.

Më pas, Anna vendos të kërkojë nën tapetin e derës. Shumë njerëz fshehin një çelës rezervë atje. Ajo ngrit tapetin, por çelësi nuk është aty.

Anna fillon të ndihet e trishtuar. Ajo ka nevojë për ndihmë. Ajo telefonon mikun e saj, Tom. "Tom, humba çelësin. Mund të më ndihmosh të kërkoj?" e pyet ajo.

Tom vjen shpejt. Së bashku, ata kontrollojnë pas vazos së luleve përpara shtëpisë. Dhe aty, ata gjejnë çelësin!

"Faleminderit, Tom! Më ndihmove të gjej çelësin," thotë Anna me gëzim. Tani, ajo mund të hapë derën dhe të hyjë në shtëpi.

Vocabulary

Key	*Çelës*
Find	*Gjej*
Door	*Derë*
Lost	*Humbur*
Search	*Kërkoj*
House	*Shtëpi*
Open	*Hap*
Pocket	*Xhep*
Remember	*Kujtoj*
Floor	*Dytë*
Under	*Nën*
Behind	*Pas*
Front	*Para*
Inside	*Brenda*
Help	*Ndihmoj*

Questions About the Story

1. *What does Anna need to open?*

    a) Her car
    b) Her house door
    c) A window

2. *Where does Anna first look for her key?*

    a) Under the doormat
    b) In her pocket
    c) Behind the flowerpot

3. *What is Anna's reaction when her pocket is empty?*

    a) She is happy
    b) She is relieved
    c) She is sad

4. *Who does Anna call for help?*

    a) Her neighbor
    b) A locksmith
    c) Her friend, Tom

5. *Where was the key finally found?*

    a) Inside the house
    b) Under the doormat
    c) Behind the flowerpot

Correct Answers:

1. b) Her house door
2. b) In her pocket
3. c) She is sad
4. c) Her friend, Tom
5. c) Behind the flowerpot

- Chapter Two -
A DAY AT THE PARK

Një Ditë në Park

Lucy dhe shoku i saj, Max, vendosin të kalojnë një ditë në park. Parku është i mbushur me pisha të larta dhe qielli është i kthjellët dhe blu. Ata marrin me vete një top për të luajtur dhe një piknik për të shijuar nën pemet jeshile.

Ndërsa ecin drejt vendit të tyre të preferuar, ata shohin zogjë që fluturojnë mbi dhe lule me ngjyra të ndryshme. Dielli ndriçon ndritshëm, duke e bërë ditën perfekte për piknik.

Ata shtrijnë një batanije në bar pranë një stoli dhe shtrijnë piknikun e tyre. Pas ngrënies, Lucy thotë, "Le të luajmë me topin!" Ata vrapojnë rreth, hedhin dhe kapin topin, duke qeshur gjithë kohën.

Pas lojës, ata ulen në stol, duke parë qiellin dhe duke u çlodhur. "Më pëlqejnë ditët si kjo," thotë Max, duke buzëqeshur. Lucy përgjigjet, "Edhe mua, është kaq paqësore këtu."

Ndërsa dielli fillon të perëndon, ata mbledhin gjërat dhe ecin për në shtëpi, të lumtur pas një dite të mrekullueshme në park.

Vocabulary

Park	*Park*
Tree	*Pemë*
Play	*Luaj*
Ball	*Top*
Run	*Vrapoj*
Friend	*Shok*
Laugh	*Qesh*
Bench	*Stol*
Bird	*Zog*
Sky	*Qiell*
Green	*Jeshil*
Flower	*Lulë*
Sun	*Diell*
Picnic	*Piknik*
Walk	*Ecin*

Questions About the Story

1. *Who did Lucy go to the park with?*

   a) Her dog
   b) Her brother
   c) Her friend, Max

2. *What did Lucy and Max bring to the park?*

   a) A kite
   b) A ball and a picnic
   c) Bicycles

3. *What color was the sky when Lucy and Max went to the park?*

   a) Grey and cloudy
   b) Clear and blue
   c) Rainy and dark

4. *What did they see as they walked to their favorite spot?*

   a) Cats running around
   b) Ducks swimming in a pond
   c) Birds flying above and flowers of many colors

5. *What did they do after eating their picnic?*

   a) They went for a swim
   b) They took a nap
   c) They played with the ball

Correct Answers:

1. c) Her friend, Max
2. b) A ball and a picnic
3. b) Clear and blue
4. c) Birds flying above and flowers of many colors
5. c) They played with the ball

- Chapter Three -
BIRTHDAY SURPRISE

Befasi Ditëlindjeje

Sot është ditëlindja e Mia-s, dhe shokët e saj kanë organizuar një festë befasuese për të. Ata kanë një tortë, balona dhe dekorime të gatshme. Mia nuk ka asnjë ide për festën.

Ndërsa Mia hyn në dhomë, të gjithë dalin jashtë dhe bërtasin, "Befasi!" Mia është e tronditur por shumë e lumtur. Ajo sheh tortën me qirinj dhe buzëqesh.

Shokët e saj këndojnë "Gëzuar Ditëlindjen," dhe Mia fryn qirinjtë, duke bërë një dëshirë. Ata më pas i japin asaj dhurata dhe kartolina, duke shprehur dashurinë e tyre dhe dëshirat për të.

Dhoma mbushet me të qeshura dhe gëzim ndërsa festojnë. Mia falënderon të gjithë, "Kjo është befasi më e mirë e ditëlindjes ndonjëherë!"

Ata kalojnë mbrëmjen duke ngrënë tortë, duke luajtur lojra dhe duke shijuar festën. Mia ndihet mirënjohëse që ka shokë kaq të mrekullueshëm.

Vocabulary

Birthday	Ditëlindje
Cake	Tortë
Party	Festë
Gift	Dhuratë
Surprise	Befasi
Balloon	Balon
Invite	Ftoj
Happy	Lumtur
Candle	Qiri
Sing	Këndoj
Friend	Shok
Card	Kartolinë
Wish	Dëshirë
Celebrate	Festoj
Decoration	Dekorim

Questions About the Story

1. *What occasion is being celebrated in the story?*

   a) A wedding
   b) An anniversary
   c) A birthday

2. *What do Mia's friends have ready for her?*

   a) A movie
   b) A concert ticket
   c) A cake, balloons, and decorations

3. *How does Mia react when her friends surprise her?*

   a) She is confused
   b) She is unhappy
   c) She is shocked but happy

4. *What do Mia's friends do after yelling "Surprise!"?*

   a) They leave the room
   b) They sing "Happy Birthday"
   c) They start dancing

5. *What does Mia do after her friends sing to her?*

   a) She leaves the party
   b) She cuts the cake
   c) She blows out the candles

Correct Answers:

1. c) A birthday
2. c) A cake, balloons, and decorations
3. c) She is shocked but happy
4. b) They sing "Happy Birthday"
5. c) She blows out the candles

- Chapter Four -
THE NEW NEIGHBOR

Komshiu i Ri

Emily sapo ka shpërngulur në një apartament të ri në Rrugën Maple. Ajo është nervoze, por e emocionuar për të takuar komshinjtë e saj.

Ndërsa zbraz kutitë nga kamioni i saj, ajo vëren dikë që i afrohet. Është komshiu i saj i afërt, Alex, i cili vjen për ta përshëndetur me një buzëqeshje të ngrohtë.

"Përshëndetje! Unë jam Alex. Jetoj në derën ngjitur. Nëse ke nevojë për ndonjë ndihmë, më thuaj," thotë Alex, duke i ofruar dorën.

Emily është mirënjohëse dhe përgjigjet, "Faleminderit, Alex! Mund të kem nevojë për ndonjë ndihmë më vonë." Ata bisedojnë për pak, dhe Alex ofron të prezantojë Emily me komshinj të tjerë.

Më vonë atë ditë, Alex kthehet dhe ndihmon Emily me kutitë e saj. Më pas bëjnë një shëtitje rreth rrugës, duke takuar komshinj të tjerë miqësorë që e përshëndesin Emily-n ngrohtësisht.

Ndihet e mirëpritur dhe e lumtur, Emily është e kënaqur që ka shpërngulur në Rrugën Maple dhe shikon me padurim për të bërë miq të rinj.

Vocabulary

Neighbor	Komshi
Move	Shpërngul
Welcome	Mirëpres
Apartment	Apartament
Box	Kutia
New	I ri
Meet	Takoj
Help	Ndihmoj
Introduce	Prezantoj
Friendly	Miqësor
Street	Rrugë
Next	I afërt
Doorbell	Zile
Smile	Buzëqeshje
Greet	Përshëndes

Questions About the Story

1. *How does Emily feel about meeting her new neighbors?*

    a) Indifferent
    b) Nervous but excited
    c) Scared

2. *Who approaches Emily as she is unloading her truck?*

    a) A delivery person
    b) A distant relative
    c) Her next-door neighbor, Alex

3. *What does Alex offer Emily?*

    a) A welcome gift
    b) To call for more help
    c) Help with her boxes

4. *What does Alex do later that day?*

    a) Invites Emily for dinner
    b) Comes back and helps with boxes
    c) Takes Emily to a party

5. *During their walk, what do Emily and Alex do?*

    a) Meet other friendly neighbors
    b) Go shopping
    c) Visit the local library

Correct Answers:

1. b) Nervous but excited
2. c) Her next-door neighbor, Alex
3. c) Help with her boxes
4. b) Comes back and helps with boxes
5. a) Meet other friendly neighbors

- Chapter Five -
LOST IN THE CITY

Humbur në Qytet

Një ditë, Emma u gjet e humbur në qytetin e madh. Ajo kishte një hartë, por rrugët e ngatërruan. "Ku jam unë?" mendoi ajo, duke parë hartën.

Së pari, ajo përpiqet të kërkojë udhëzime. Ajo iu afrua një personi që dukej miqësor dhe pyeti, "Më falni, mund të më ndihmoni të gjej Rrugën Main?" Personi e drejtoi drejt cepit.

Emma shkoi në cep, por semaforët dhe trotuaret e zënë e bënë të hezitojë. Ajo kishte nevojë të kalonte rrugën, por nuk ishte e sigurt kur.

Ajo gjeti një shesh me një tabelë të madhe që shkruante "Stacioni Qendror." "Atje duhet të kthehem për të marrë trenin," kujtoi Emma.

Në fund, pasi pyeti disa njerëz të tjerë dhe ndoqi udhëzimet e tyre, Emma gjeti rrugën e kthimit në stacion. Ajo ishte e lehtësuar dhe e lumtur që gjeti rrugën. Nga tani e tutje, ajo premtoi të kushtonte më shumë vëmendje shenjave dhe të mësonte më shumë për të orientuar në qytet.

Vocabulary

City	Qytet
Map	Hartë
Street	Rrugë
Lost	Humbur
Ask	Pyes
Direction	Drejtim
Corner	Cep
Traffic light	Semafor
Cross	Kaloj
Busy	I zënë
Find	Gjej
Square	Shesh
Sign	Tabelë
Return	Kthehem
Station	Stacion

Questions About the Story

1. *What did Emma have to help her find her way in the city?*

    a) A compass
    b) A map
    c) A guidebook

2. *Who did Emma first ask for directions?*

    a) A police officer
    b) A shopkeeper
    c) A friendly-looking person

3. *What made Emma hesitate while trying to navigate the city?*

    a) Rain
    b) The traffic lights and busy sidewalks
    c) Getting a phone call

4. *Where did Emma need to return to catch her train?*

    a) Main Street
    b) The airport
    c) Central Station

5. *How did Emma finally find her way back?*

    a) By using a GPS
    b) By following the signs
    c) By asking more people for directions

Correct Answers:

1. b) A map
2. c) A friendly-looking person
3. b) The traffic lights and busy sidewalks
4. c) Central Station
5. c) By asking more people for directions

- Chapter Six -
A PICNIC BY THE LAKE

Piknik pranë Liqenit

Lucas dhe Mia vendosën të bëjnë një piknik pranë liqenit në një ditë me diell. Ata mbushën një shportë me sandviçe, fruta dhe pije. Morën edhe një batanije të madhe për të ulur dhe disa lojra për të luajtur.

Kur mbërritën në liqen, shtrinë batanijen në bar nën një pemë të madhe. Liqeni dukej i bukur nën diell, dhe zogjtë fluturonin mbi kokat e tyre.

Pas ngrënies së sandviçeve dhe shijimit të frutave, Lucas tha, "Le të luajmë me topin!" Ata kaluan disa kohë duke luajtur dhe më pas vendosën të notonin në liqen.

Uji ishte i freskët, dhe ata u argëtuan duke notuar dhe duke u spërkatur rreth e rrotull. Pas notit, ata shtriheshin në batanije për të çlodhur dhe për të parë qiellin.

"Është kaq paqësore këtu," tha Mia, duke dëgjuar zogjtë dhe duke ndjerë diellin e butë. Ata qëndruan deri sa dielli filloi të perëndonte, duke shijuar ditën e tyre të përsosur pranë liqenit.

Vocabulary

Lake	*Liqen*
Picnic	*Piknik*
Basket	*Shportë*
Blanket	*Batanije*
Sandwich	*Sandviç*
Fruit	*Frutë*
Drink	*Pije*
Friend	*Mik*
Sun	*Diell*
Play	*Luaj*
Swim	*Notoj*
Tree	*Pemë*
Grass	*Bar*
Relax	*Çlodhem*
Bird	*Zog*

Questions About the Story

1. *What did Lucas and Mia decide to do on a sunny day?*

   a) Go for a swim
   b) Have a picnic by the lake
   c) Play soccer

2. *What did they pack in their picnic basket?*

   a) Sandwiches, fruits, and drinks
   b) Pizza
   c) Burgers and fries

3. *Where did they spread the blanket for the picnic?*

   a) On the beach
   b) In a clearing
   c) Under a big tree

4. *What activity did Lucas suggest after eating?*

   a) Going home
   b) Swimming in the lake
   c) Playing with the ball

5. *How did they find the water when they went swimming?*

   a) Cold
   b) Too hot
   c) Refreshing

Correct Answers:

1. b) Have a picnic by the lake
2. a) Sandwiches, fruits, and drinks
3. c) Under a big tree
4. c) Playing with the ball
5. c) Refreshing

- Chapter Seven -

THE SCHOOL PROJECT

Projekti Shkollor

Në klasën e Z. Smith, studentët u caktuan një projekt shkollor. Ata duhej të punonin në ekipe për të kërkuar një temë dhe më pas ta prezantonin atë në klasë.

Anna, Ben, Charlie dhe Dana formuan një ekip. Ata vendosën të kërkojnë rëndësinë e riciklimit. Ata grumbulluan informacione, krijuan një raport dhe punuan në një prezantim.

Në ditën e prezantimit, ata ishin të nervozuar por gati. Anna filloi duke shpjeguar procesin e kërkimit. Ben diskutoi përfitimet e riciklimit, dhe Charlie tregoi disa statistika. Dana përfundoi me ide se si të riciklohet më shumë në shtëpi dhe në shkollë.

Mësuesi dhe klasa u impresionuan. Ata mësuan shumë dhe diskutuan se si mund të kontribuojnë në përpjekjet e riciklimit. Ekipi ndihej krenar për punën e tyre dhe i lumtur që kishin përfunduar me sukses projektin e tyre.

Vocabulary

Project	*Projekt*
School	*Shkollë*
Team	*Ekip*
Research	*Kërkim*
Present	*Prezantoj*
Teacher	*Mësues*
Class	*Klasë*
Learn	*Mësoj*
Work	*Punë*
Discuss	*Diskutoj*
Idea	*Ide*
Report	*Raport*
Create	*Krijoj*
Group	*Grup*
Finish	*Përfundoj*

Questions About the Story

1. *What was the topic of the school project?*

   a) Global warming
   b) The importance of recycling
   c) Space exploration

2. *Who were the members of the team?*

   a) Anna, Ben, Charlie, and Dana
   b) Emily, Fred, George, and Hannah
   c) Isaac, Julia, Kyle, and Laura

3. *What did Ben discuss in the presentation?*

   a) The benefits of recycling
   b) How to plant a garden
   c) The process of photosynthesis

4. *What did the team create for their project?*

   a) A short film
   b) A magazine article
   c) A report and a presentation

5. *How did the team feel about their project?*

   a) Disappointed
   b) Confused
   c) Proud and happy

Correct Answers:

1. b) The importance of recycling
2. a) Anna, Ben, Charlie, and Dana
3. a) The benefits of recycling
4. c) A report and a presentation
5. c) Proud and happy

- Chapter Eight -
A WINTER'S TALE

Përralla Dimërore

Një ditë të ftohtë dimri, Lily dhe Sam vendosën të shijojnë borën. Ata veshën palltot, shallët dhe dorashkat për të qëndruar të ngrohtë. Jashtë, toka ishte e mbuluar me borë dhe era frynte butësisht.

"Le të bëjmë një njeri bore," sugjeroi Lily. Së bashku, ata rrotulluan topa të mëdhenj bore për trupin e njeriut të borës dhe gjetën gurë për sytë dhe gojën e tij. Ata qeshën ndërsa vendosën një karotë për hundën.

Pas ndërtimit të njeriut të borës, ata ndiheshin shumë të ftohtë. "Kam nevojë për diçka për të ngrohur," tha Sam. Kështu, ata hynë brenda dhe bënë çokollatë të nxehtë. Pija e ngrohtë dhe oxhaku i ngrohtë i bënë të ndiheshin më mirë.

Më vonë, ata vendosën të provojnë ski. Ata rrëshqitën me kujdes poshtë një kodre të vogël, duke ndjerë erën e ftohtë ndërsa shkonin. Skiimi ishte argëtues por i bëri të ngrinin sërish.

Në fund të ditës, ata u ulën pranë oxhakut, ndjenë ngrohtësinë. "Kjo ishte dita më e mirë e dimrit," tha Sam, dhe Lily ishte dakord. Ata shijuan bukurinë e dimrit nga ngrohtësia e shtëpisë së tyre.

Vocabulary

Winter	*Dimër*
Snow	*Borë*
Cold	*Ftohtë*
Coat	*Pallto*
Ice	*Akull*
Hot chocolate	*Çokollatë e nxehtë*
Scarf	*Shall*
Ski	*Ski*
Snowman	*Njeri bora*
Freeze	*Ngrirë*
Glove	*Dorashka*
Wind	*Erë*
Slide	*Rrëshqit*
Warm	*Ngrohtë*
Fireplace	*Oxhak*

Questions About the Story

1. *What did Lily and Sam decide to do on a cold winter day?*

   a) Build a snowman
   b) Go skiing
   c) Make hot chocolate
   d) All of the above

2. *What did Lily suggest they make outside?*

   a) A snow angel
   b) A snowman
   c) An igloo

3. *What did they use for the snowman's nose?*

   a) A stone
   b) A stick
   c) A carrot

4. *What did Sam and Lily do to warm up after building the snowman?*

   a) Went for a walk
   b) Made hot chocolate
   c) Took a nap

5. *What activity did they try after warming up?*

   a) Ice skating
   b) Snowball fight
   c) Skiing

Correct Answers:

1. d) All of the above
2. b) A snowman
3. c) A carrot
4. b) Made hot chocolate
5. c) Skiing

- Chapter Nine -
THE MAGIC GARDEN

Kopshti Magjik

Lena zbuloi një kopsht të fshehur pas shtëpisë së gjyshes së saj, i mbuluar me bar dhe i harruar. Me kureshtje dhe emocion, ajo vendosi ta rikthente atë në jetë.

Ndërsa Lena pastronte barërat e egra dhe mbillte fara të reja, vuri re diçka të jashtëzakonshme. Bimët rriteshin gjatë natës, lulet lulëzonin menjëherë, dhe një larmi më parë e paparë e fluturave dhe zogjve filluan të vizitonin.

Një ditë, Lena gjeti një farë të lashtë dhe misterioze të varrosur në cep të kopshtit. Ajo e mbolli, dhe deri në mëngjesin tjetër, kishte rritur një pemë madhështore, me gjethe që shkëlqenin me nuancat magjike.

Kopshti u bë streha e Lena-s, një vend ku magjia ishte reale. Ajo mësoi se kopshti ishte i magjepsur, duke lulëzuar me kujdes dhe dashuri. Këtu, Lena mund të fliste me bimët, dhe ato dukeshin se dëgjonin, duke u rritur më të forta dhe më të gjalla.

Kopshti magjik nuk ishte vetëm i bukur; ishte i gjallë, i mbushur me mrekulli dhe sekrete që prisnin të zbuloheshin. Lena e dinte që ajo ishte rojtare e këtij vendi magjik, një xhevahir i fshehur ku vija ndërmjet realitetit dhe magjisë ishte e paqartë.

Vocabulary

Garden	*Kopsht*
Flower	*Lule*
Magic	*Magji*
Tree	*Pemë*
Grow	*Rrit*
Plant	*Mbjell*
Butterfly	*Flutur*
Bird	*Zog*
Color	*Ngjyrë*
Water	*Ujë*
Sunlight	*Dritë dielli*
Seed	*Farë*
Leaf	*Gjethe*
Beautiful	*I bukur*
Nature	*Natyrë*

Questions About the Story

1. *What did Lena discover behind her grandmother's house?*

    a) A hidden garden
    b) A treasure chest
    c) An ancient book

2. *What extraordinary thing happened when Lena planted new seeds?*

    a) The seeds turned to gold
    b) The plants grew overnight
    c) The seeds sang songs

3. *What did Lena find buried in the garden?*

    a) A mysterious, ancient seed
    b) A map
    c) A magic wand

4. *What grew from the mysterious seed Lena planted?*

    a) A beanstalk
    b) A rose bush
    c) A magical tree

5. *What became Lena's sanctuary?*

    a) The forest
    b) The magic garden
    c) Her grandmother's house

Correct Answers:

1. a) A hidden garden
2. b) The plants grew overnight
3. a) A mysterious, ancient seed
4. c) A magical tree
5. b) The magic garden

- Chapter Ten -
A TRIP TO THE ZOO

Udhëtim në Kopshtin Zoologjik

Xheku dhe Emili vendosën të kalonin të shtunën e tyre duke eksploruar kopshtin zoologjik të qytetit, të etur për të parë një gamë të gjerë kafshësh nga e gjithë bota.

Ndalimi i tyre i parë ishte kafazi i luanëve, ku ata panë krijesat madhështore që shtriheshin në diell. Më pas, ata vizituan elefantët, të magjepsur nga natyra e tyre e butë dhe inteligjenca.

Në ekspozitën e majmunëve, Xheku dhe Emili qeshën me veprimet lozonjare të primatëve që luanin nga dega në degë. Ata u mahnitën nga larmia e specieve dhe sjelljet e tyre.

Pikërishtja e vizitës së tyre ishte shfaqja e ushqyerjes, ku ata mësuan rreth dietave dhe kujdesit për kafshët. Ata u impresionuan veçanërisht nga hiri i girafave dhe fuqia e arinjve.

Duke mbajtur një hartë të kopshtit zoologjik, ata siguruan të mos linin pa vizituar asnjë ekspozitë, nga zogjtë tropikalë te shtëpia e reptilëve. Ata përfunduan vizitën e tyre duke ndjekur një bisedë me kujdestarin, duke fituar njohuri rreth përpjekjeve për konservimin dhe rëndësinë e mbrojtjes së jetës së egër.

Ndërsa largoheshin nga kopshti zoologjik, Xheku dhe Emili ndjenë një ndjenjë të rinovuar habie dhe një vlerësim më të thellë për botën natyrore. Ata premtuan të ktheheshin, të etur për të mësuar më shumë dhe për të vazhduar aventurën e tyre.

Vocabulary

Zoo	*Kopshti zoologjik*
Animal	*Kafshë*
Lion	*Luan*
Elephant	*Elefant*
Monkey	*Majmun*
Cage	*Kafaz*
Feed	*Ushqej*
Visit	*Vizitoj*
Bear	*Ari*
Giraffe	*Girafë*
Ticket	*Biletë*
Guide	*Udhëzues*
Map	*Hartë*
Show	*Shfaqje*
Learn	*Mësoj*

Questions About the Story

1. *What was the first animal enclosure that Jack and Emily visited at the zoo?*

    a) Lions
    b) Elephants
    c) Monkeys

2. *What fascinated Jack and Emily about the elephants?*

    a) Their playful antics
    b) Their gentle nature and intelligence
    c) Their loud roars

3. *What did Jack and Emily find amusing at the monkey exhibit?*

    a) The monkeys sleeping
    b) The monkeys swinging from branch to branch
    c) The monkeys hiding

4. *What was the highlight of Jack and Emily's visit to the zoo?*

    a) The lion's roar
    b) The feeding time show
    c) The elephant ride

5. *Which animal's grace impressed Jack and Emily during the feeding time show?*

    a) Bears
    b) Monkeys
    c) Giraffes

Correct Answers:

1. a) Lions
2. b) Their gentle nature and intelligence
3. b) The monkeys swinging from branch to branch
4. b) The feeding time show
5. c) Giraffes

- Chapter Eleven -
COOKING CLASS

Klasë Gatimi

Sara vendosi të ndiqte një klasë gatimi për të mësuar receta të reja. Klasa ishte në një kuzhinë të madhe me shumë përbërës të gatshëm në tryezë.

Shefi i kuzhinës u tregoi se si të përziejnë përbërësit për të bërë një tortë. "Gatimi është si magji," tha ai, "me recetën e duhur, mund të krijosh diçka të shijshme."

Sara ndoqi me kujdes recetën. Ajo përzieu, piqte dhe më pas shijoi tortën e saj. Ishte e shijshme! Ajo ndihej krenare dhe e lumtur.

Ajo mësoi të presë perimet, të skuqë vezët, dhe të ziejë ujin për makaronat. Çdo pjatë që ajo bëri ishte një aventurë e re.

Në fund të klasës, Sara dhe shokët e klasës shijuan vaktin që gatuan së bashku. Ajo nuk priste dot të gatuante këto pjata në shtëpi.

Vocabulary

Cook	*Gatua*
Recipe	*Recetë*
Ingredient	*Përbërës*
Kitchen	*Kuzhinë*
Oven	*Furrë*
Mix	*Përziej*
Bake	*Piq*
Taste	*Shijo*
Meal	*Vakt*
Chef	*Shef i kuzhinës*
Cut	*Pres*
Dish	*Pjatë*
Spoon	*Lugë*
Fry	*Skuq*
Boil	*Ziej*

Questions About the Story

1. *What did Sarah decide to join?*

   a) A dance class
   b) A cooking class
   c) A painting class

2. *What was the chef's analogy for cooking?*

   a) Cooking is like painting
   b) Cooking is like magic
   c) Cooking is like gardening

3. *What did Sarah feel after tasting her cake?*

   a) Disappointed
   b) Proud and happy
   c) Confused

4. *Which of the following skills did Sarah learn in the class?*

   a) Cutting vegetables
   b) Flying a kite
   c) Playing the guitar

5. *What did Sarah and her classmates do at the end of the class?*

   a) They went home immediately
   b) They cleaned the kitchen
   c) They enjoyed the meal they cooked

Correct Answers:

1. b) A cooking class
2. b) Cooking is like magic
3. b) Proud and happy
4. a) Cutting vegetables
5. c) They enjoyed the meal they cooked

- Chapter Twelve -
THE TREASURE HUNT

Gjuetia e Thesarit

Tomi dhe shokët e tij gjetën një hartë të vjetër në një libër në bibliotekë. Ajo tregonte një thesar të fshehur në një ishull të vogël. Ata vendosën të nisnin një aventurë për ta gjetur atë.

Me hartën në duar, ata kërkuan për përcaktues. Çdo përcaktues i çoi ata më afër thesarit. Ata duhej të gërmonin, të ndiqnin shenjat X, dhe të zgjidhnin misteret.

Pas një kërkimi të gjatë, ata zbuluan një arkë të mbushur me ar! Ata nuk mund të besonin sytë e tyre. Ishte aventura e një jete.

Ata vendosën të ndanin arin me ekipin e tyre dhe të dhuronin disa për bibliotekën. Gjuetia e tyre e thesarit ishte një sukses, dhe ata mësuan vlerën e punës në ekip.

Vocabulary

Treasure	*Thesar*
Map	*Hartë*
Search	*Kërkoj*
Find	*Gjej*
Clue	*Përcaktues*
Dig	*Gërmoj*
Island	*Ishull*
Adventure	*Aventurë*
Chest	*Arkë*
Gold	*Ari*
Mystery	*Mister*
Team	*Ekip*
Follow	*Ndiq*
X (marks the spot)	*X (shënon vendin)*
Discover	*Zbuloj*

Questions About the Story

1. *Where did Tom and his friends find the old map?*

    a) In a book at the library
    b) In Tom's attic
    c) On the internet

2. *What did the map show?*

    a) A hidden cave
    b) A treasure on a small island
    c) A secret passage

3. *What did Tom and his friends have to do to find the treasure?*

    a) Ask for directions
    b) Solve mysteries
    c) Buy a new map

4. *What did they find at the end of their search?*

    a) A chest full of gold
    b) A new friend
    c) A lost puppy

5. *What did they decide to do with the gold?*

    a) Keep it all for themselves
    b) Throw it back into the sea
    c) Share it with their team and donate some to the library

Correct Answers:

1. a) In a book at the library
2. b) A treasure on a small island
3. b) Solve mysteries
4. a) A chest full of gold
5. c) Share it with their team and donate some to the library

- Chapter Thirteen -
A RAINY DAY

Një Ditë me Shi

Ishte një ditë me shi, dhe Emili ishte e bllokuar brenda në shtëpinë e saj. Ajo shikonte pikat e shiut që rrëshqitnin poshtë dritares dhe dëgjonte bubullimat e rrufesë.

Ajo hapi çadrën e saj dhe vendosi të kërcejë nëpër balta jashtë. Shiu bëri që gjithçka të dukej e freskët dhe e re.

Duke u lagur, ajo qeshte dhe shkundte në ujë. Ishte argëtuese të luaje në shi, ndërsa kapeleja e shiut e mbrojti nga lagështia e tepërt.

Mbrapa brenda, Emili ndihej e rehatshme. Ajo përgatiti një pije të nxehtë dhe u ul pranë dritares për të lexuar librin e saj të preferuar.

Dita me shi u kthye në një kohë paqësore për Emilin. Ajo shijoi kënaqësinë e thjeshtë të leximit dhe shikimit të shiut.

Vocabulary

Rain	*Shi*
Umbrella	*Çadër*
Puddle	*Baltë*
Wet	*I lagur*
Cloud	*Re*
Raincoat	*Kapele shiu*
Drop	*Pikë*
Splash	*Shkund*
Inside	*Brenda*
Window	*Dritare*
Play	*Luaj*
Thunder	*Rrufe*
Lightning	*Vetëtima*
Cozy	*Rehatshme*
Read	*Lexoj*

Questions About the Story

1. *What was Emily doing at the beginning of the story?*

   a) Reading a book
   b) Watching raindrops on the window
   c) Jumping in puddles

2. *What did Emily decide to do despite the rain?*

   a) Stay indoors and watch TV
   b) Go back to bed
   c) Jump in puddles outside

3. *What protected Emily from getting too wet?*

   a) Her raincoat
   b) A large tree
   c) An umbrella

4. *How did Emily feel playing in the rain?*

   a) Scared
   b) Excited
   c) Happy

5. *What did Emily do after coming back inside?*

   a) Took a nap
   b) Watched a movie
   c) Made herself a hot drink and read a book

Correct Answers:

1. b) Watching raindrops on the window
2. c) Jump in puddles outside
3. a) Her raincoat
4. c) Happy
5. c) Made herself a hot drink and read a book

- Chapter Fourteen -
AT THE SUPERMARKET

Në Supermarket

Mike shkoi në supermarket me një listë. Ai kishte nevojë të blinte ushqim për javën. Ai shtyu karrocën përmes korridoreve, duke kërkuar perime, fruta, qumësht, bukë dhe djathë.

Ai kontrolloi çmimet dhe vendosi artikujt në karrocën e tij. Supermarketi ishte i zënë, por Mike gjeti gjithçka në listën e tij.

Kur përfundoi me blerjet, ai shkoi te arkëtari për të paguar. Kishte zbritje për djathin, kështu që ai kurseu disa para. Mike ishte i lumtur për këtë.

Pas pagesës, ai vendosi ushqimet e tij në çanta dhe i çoi ato në makinën e tij. Ai ndihej mirë sepse kishte blerë ushqim të shëndetshëm për familjen e tij.

Vocabulary

Supermarket	*Supermarket*
Cart	*Karrocë*
Buy	*Blej*
Food	*Ushqim*
Price	*Çmim*
Cashier	*Arkëtar*
List	*Listë*
Vegetable	*Perime*
Fruit	*Fruta*
Milk	*Qumësht*
Bread	*Bukë*
Cheese	*Djathë*
Pay	*Pagoj*
Sale	*Zbritje*
Bag	*Çantë*

Questions About the Story

1. *What was the main reason Mike went to the supermarket?*

   a) To buy clothes
   b) To buy food for the week
   c) To meet a friend

2. *Which of these items was NOT on Mike's shopping list?*

   a) Vegetables
   b) Fish
   c) Milk

3. *What did Mike do before putting items in his cart?*

   a) Checked the prices
   b) Called his friend
   c) Ate a snack

4. *Why was Mike happy after shopping?*

   a) He found a new job
   b) There was a sale on cheese
   c) He met a friend

5. *What did Mike do after finishing his shopping?*

   a) Went home directly
   b) Went to the cashier to pay
   c) Started shopping again

Correct Answers:

1. b) To buy food for the week
2. b) Fish
3. a) Checked the prices
4. b) There was a sale on cheese
5. b) Went to the cashier to pay

- Chapter Fifteen -
THE MUSIC LESSON

Mësimi i Muzikës

Anna adhuronte muzikën dhe vendosi të merrte mësime muzike. Ajo donte të mësonte si të luante një instrument.

Mësuesi i saj ishte Z. Smith. Ai mund të luante pianon dhe kitarën. Ai ishte i sjellshëm dhe i durueshëm.

Në mësimin e saj të parë, Anna mësoi të luante nota të thjeshta në piano. Ajo gjithashtu provoi të këndonte një këngë. Ishte argëtuese!

Z. Smith i tregoi si të lexonte notat muzikore dhe të gjente ritmin. Anna ushtroi çdo ditë. Ajo ëndërronte të luante në një grup një ditë.

Muzika e bëri Annën të lumtur. Ajo ishte e emocionuar të mësonte më shumë dhe të përmirësonte aftësitë e saj.

Vocabulary

Music	*Muzikë*
Instrument	*Instrument*
Play	*Luaj*
Lesson	*Mësim*
Teacher	*Mësues*
Piano	*Piano*
Guitar	*Kitarë*
Sing	*Këndoj*
Note	*Notë*
Song	*Këngë*
Practice	*Ushtrime*
Band	*Grup*
Sound	*Zë*
Rhythm	*Ritëm*
Learn	*Mësoj*

Questions About the Story

1. *What did Anna decide to take up?*

   a) Dance lessons
   b) Music lessons
   c) Art classes

2. *What instruments could Mr. Smith play?*

   a) Violin and drums
   b) Piano and guitar
   c) Flute and trumpet

3. *What did Anna learn in her first lesson?*

   a) How to dance
   b) How to play simple notes on the piano
   c) How to paint

4. *Besides playing the piano, what else did Anna try in her lesson?*

   a) Singing a song
   b) Playing the drums
   c) Drawing

5. *What did Mr. Smith teach Anna besides playing notes?*

   a) How to read music notes and find the rhythm
   b) How to write her own music
   c) How to conduct an orchestra

Correct Answers:

1. b) Music lessons
2. b) Piano and guitar
3. b) How to play simple notes on the piano
4. a) Singing a song
5. a) How to read music notes and find the rhythm

- Chapter Sixteen -
THE LOST PUPPY

Qeni i Humbur

Lucy gjeti një qen të humbur në rrugë. Qeni nuk kishte zinxhir, por ishte shumë i dashur dhe miqësor.

Ajo vendosi të kërkonte pronarin e qenit. Ajo bëri disa postera dhe i vendosi rreth lagjes.

Njerëzit panë posterat dhe ndihmuan Lucyn të kërkonte. Ata kërkuan në çdo rrugë dhe pyetën çdo person që takonin.

Në fund, dikush e njohu qenin. Ata e njihnin pronarin dhe e telefonuan.

Pronari i qenit ishte shumë i lumtur që gjeti kafshën e tij. Ata falënderuan Lucyn për mirësinë dhe ndihmën e saj.

Lucy përqafoi qenin për lamtumirë. Ajo ishte e lumtur të shihte qenin të shkonte në shtëpi i sigurt.

Vocabulary

Puppy	*Qen*
Search	*Kërkoj*
Bark	*Leht*
Lost	*Humbur*
Poster	*Poster*
Street	*Rrugë*
Kind	*I dashur*
Find	*Gjej*
Collar	*Zinxhir*
Pet	*Kafshë shtëpiake*
Happy	*I lumtur*
Home	*Shtëpi*
Owner	*Pronar*
Safe	*I sigurt*
Hug	*Përqafoj*

Questions About the Story

1. *Why did Lucy decide to search for the puppy's owner?*

    a) She wanted to keep the puppy
    b) The puppy had a collar with a name
    c) She found the puppy lost and kind

2. *What did Lucy do to find the puppy's owner?*

    a) She took the puppy to a vet
    b) She made and put up posters around the neighborhood
    c) She called the police

3. *How did the community respond to Lucy's effort?*

    a) They ignored her
    b) They helped her search for the owner
    c) They advised her to keep the puppy

4. *How was the puppy's owner finally found?*

    a) Through a social media post
    b) Someone recognized the puppy from the posters
    c) The puppy ran back home on its own

5. *What was the puppy's owner's reaction to getting their pet back?*

    a) They were indifferent
    b) They offered a reward to Lucy
    c) They were very happy and thankful

Correct Answers:

1. c) She found the puppy lost and kind
2. b) She made and put up posters around the neighborhood
3. b) They helped her search for the owner
4. b) Someone recognized the puppy from the posters
5. c) They were very happy and thankful

- Chapter Seventeen -
THE ART COMPETITION

Konkursi i Artit

Emës i pëlqente të pikturonte. Ajo vendosi të merrte pjesë në një konkurs arti. Ajo mori furçën e saj, bojërat dhe një kanavacë të madhe për të filluar pikturën e saj. Emës dëshironte të krijonte diçka të mbushur me ngjyra dhe kreativitet.

Tema e konkursit ishte "Bukuria e Natyrës." Emës pikturoi një peizazh të bukur me pemë, një lumë dhe zogj që fluturonin në qiell. Ajo përdori ngjyra të ndritshme për të bërë pikturën e saj të dallohej.

Në ditën e ekspozitës, piktura e Emës u shfaq në galeri mes shumë të tjerave. Njerëzit erdhën për të parë artin dhe votuan për të preferuarin e tyre.

Gjyqtarët admiruan dizajnin dhe kreativitetin e Emës. Kur shpallën fituesin, u thirr emri i Emës! Ajo fitoi çmimin për pikturën më të mirë.

Emës ndihej krenare dhe e lumtur. Arti i saj u vlerësua, dhe ajo ndihej e motivuar për të pikturuar edhe më shumë.

Vocabulary

Paint	*Pikturoj*
Brush	*Furçë*
Picture	*Pikturë*
Color	*Ngjyrë*
Prize	*Çmim*
Judge	*Gjyqtar*
Exhibit	*Ekspozitë*
Creativity	*Kreativitet*
Design	*Dizajn*
Art	*Art*
Winner	*Fitues*
Gallery	*Galeri*
Canvas	*Kanavacë*
Display	*Shfaq*
Vote	*Votoj*

Questions About the Story

1. *What did Emma decide to do?*

    a) Join a cooking class
    b) Enter an art competition
    c) Write a book

2. *What was the theme of the art competition?*

    a) Modern life
    b) Abstract thoughts
    c) Nature's Beauty

3. *What did Emma paint?*

    a) A cityscape
    b) A portrait
    c) A landscape with trees and a river

4. *What did Emma use to stand out her painting?*

    a) Dark colors
    b) Bright colors
    c) Only black and white

5. *What did the judges admire about Emma's painting?*

    a) The size
    b) The design and creativity
    c) The frame

Correct Answers:

1. b) Enter an art competition
2. c) Nature's Beauty
3. c) A landscape with trees and a river
4. b) Bright colors
5. b) The design and creativity

- Chapter Eighteen -
A DAY AT THE FARM

Një Ditë në Fermë

Tomi vizitoi një fermë për një ditë. Ai ishte i emocionuar për të parë të gjitha kafshët dhe për të mësuar rreth jetës në fermë. Fermeri, Z. Brown, e mirëpriti Tom-in dhe e shoqëroi atë rreth.

Fillimisht, ata shkuan në stallë për të ushqyer lopët dhe kuajt. Tomi mësoi si të mjelë një lopë dhe u mahnit nga procesi. Ata gjithashtu mbledhën vezë nga pulat.

Tomi hipi në traktor me Z. Brown për të parë fushat. Ata biseduan rreth korrjes dhe si bëhet barishtja për kafshët.

Tomi pa derrat, i ushqeu ata, dhe ndihmoi edhe në mbledhjen e barishtës. Ai mësoi shumë rreth punës së vështirë të qenit fermer.

Në fund të ditës, Tomi ndihej i lumtur dhe mirënjohës. Ai falënderoi Z. Brown për përvojën e mrekullueshme në fermë.

Vocabulary

Farm	Fermë
Animal	Kafshë
Cow	Lopë
Horse	Kalë
Feed	Ushqej
Barn	Stallë
Tractor	Traktor
Hay	Barishte
Milk	Qumësht
Egg	Vezë
Farmer	Fermer
Field	Fushë
Harvest	Korrje
Chicken	Pulë
Pig	Derr

Questions About the Story

1. *Who welcomed Tom to the farm?*

    a) The farm animals
    b) A neighbor
    c) Mr. Brown

2. *What did Tom learn to do for the first time on the farm?*

    a) Drive a tractor
    b) Milk a cow
    c) Ride a horse

3. *What did Tom and Mr. Brown talk about during the tractor ride?*

    a) The weather
    b) The animals' names
    c) The harvest and how hay is made

4. *Besides cows, which other animals did Tom feed?*

    a) Chickens
    b) Pigs
    c) Both chickens and pigs

5. *What was Tom's feeling at the end of his day at the farm?*

    a) Tired
    b) Happy and grateful
    c) Bored

Correct Answers:

1. c) Mr. Brown
2. b) Milk a cow
3. c) The harvest and how hay is made
4. c) Both chickens and pigs
5. b) Happy and grateful

- Chapter Nineteen -
THE SCIENCE FAIR

Panairi i Shkencës

Lucy po përgatitej për panairin e shkencës në shkollën e saj. Ajo kishte një ide të shkëlqyer për një eksperiment. Projekti i saj ishte rreth reaksionit kimik midis sodës së bukës dhe uthullës.

Lucy organizoi ekspozitën e saj në laboratorin e shkollës. Ajo kishte të gjitha të dhënat dhe vëzhgimet e saj të gatshme për t'u prezantuar. Ajo ishte pak e nervozuar, por edhe e emocionuar.

Gjatë panairit, shumë nxënës dhe mësues erdhën të shihnin eksperimentin e Lucys. Ajo shpjegoi hipotezën e saj dhe u tregoi atyre reaksionin. Të gjithë u impresionuan me punën e saj.

Pas vlerësimit dhe rishikimit të të gjithë projekteve, gjyqtarët shpallën rezultatet. Projekti i Lucys fitoi një çmim për eksperimentin më të mirë!

Lucy ndihej krenare për punën e saj të rëndë. Panairi i shkencës ishte një sukses i madh, dhe ajo e pëlqeu të ndante interesin e saj për shkencën me të tjerët.

Vocabulary

Experiment	*Eksperiment*
Science	*Shkencë*
Project	*Projekt*
Hypothesis	*Hipotezë*
Result	*Rezultat*
Research	*Kërkim*
Display	*Ekspozitë*
Test	*Testoj*
Observation	*Vëzhgim*
Conclusion	*Përfundim*
Data	*Të dhëna*
Measure	*Mat*
Laboratory	*Laborator*
Chemical	*Kimik*
Reaction	*Reaksion*

Questions About the Story

1. *What was Lucy's science fair project about?*

    a) The growth of plants
    b) The solar system
    c) The chemical reaction between baking soda and vinegar

2. *Where did Lucy set up her display for the science fair?*

    a) In the school library
    b) In the school laboratory
    c) In the school gymnasium

3. *How did Lucy feel about presenting her project?*

    a) Confident and bored
    b) Nervous but excited
    c) Indifferent

4. *Who was Lucy's audience during her experiment demonstration?*

    a) Only the judges
    b) Only her classmates
    c) Students and teachers

5. *What did Lucy do during the fair?*

    a) She only observed other projects
    b) She explained her hypothesis and showed the reaction
    c) She helped organize the event

Correct Answers:

1. c) The chemical reaction between baking soda and vinegar
2. b) In the school laboratory
3. b) Nervous but excited
4. c) Students and teachers
5. b) She explained her hypothesis and showed the reaction

- Chapter Twenty -
A SUMMER VACATION

Pushimet Verore

Ana dhe familja e saj vendosën të shkonin për pushime verore. Ata mbushën valixhet e tyre, aplikuan krem kundër diellit dhe shkuan në plazh. Ishte një ditë me diell, e përkryer për të notuar dhe për të pushuar.

Ata qëndruan në një hotel të vogël pranë plazhit. Çdo ditë, ata udhëtonin rreth ishullit, duke eksploruar vende të reja. Anës i pëlqente të bënte foto me kamerën e saj për të mbajtur mend aventurën.

Një ditë, ata vendosën të blinin suvenire për miqtë e tyre. Ata gjetën kërcellë të bukur dhe kartolina. Ana zgjodhi një varkë të vogël të bërë me dorë si kujtim i udhëtimit të tyre.

Në mbrëmje, ata ulëshin pranë plazhit, duke parë yjet. Ana ndihej e lumtur dhe e qetë. Kjo pushim ishte një aventurë që ajo nuk do të harronte kurrë.

Vocabulary

Vacation	*Pushime*
Beach	*Plazh*
Travel	*Udhëtoj*
Suitcase	*Valixhe*
Hotel	*Hotel*
Sunscreen	*Krem kundër diellit*
Swim	*Notoj*
Map	*Hartë*
Tourist	*Turist*
Relax	*Qetësohem*
Explore	*Eksploroj*
Adventure	*Aventurë*
Souvenir	*Suvenir*
Island	*Ishull*
Camera	*Kamera*

Questions About the Story

1. *What did Anna and her family do during their summer vacation?*

   a) Went skiing
   b) Went to the beach
   c) Visited a museum

2. *What did Anna use to capture memories of their vacation?*

   a) Her memory
   b) A diary
   c) A camera

3. *What type of souvenirs did Anna and her family buy?*

   a) Magnets and keychains
   b) Shells and postcards
   c) T-shirts and hats

4. *What was Anna's special souvenir from the trip?*

   a) A seashell necklace
   b) A beach towel
   c) A small, handmade boat

5. *Where did Anna and her family stay during their vacation?*

   a) In a tent
   b) In a large resort
   c) In a small hotel near the beach

Correct Answers:

1. b) Went to the beach
2. c) A camera
3. b) Shells and postcards
4. c) A small, handmade boat
5. c) In a small hotel near the beach

- Chapter Twenty-One -
THE BICYCLE RACE

Gara me Bicikletë

Mike mori pjesë në një garë bicikletash në qytetin e tij. Ai vuri kaskën, kontrolloi gomat e bicikletës së tij dhe siguroi që kishte pajisjet e duhura për shpejtësi. Pista e garës ishte e gjatë dhe sfiduese, por Mike ishte i gatshëm të garonte.

Ndërsa gara filloi, Mike pedaloi sa më shpejt që mundi. Ai ndjeu erën në fytyrë dhe emocionin e garës. Ai u përqendrua në vijën e finishit, duke përpiqur të mbante energjinë e lartë.

Rreth tij, edhe çiklistët e tjerë po përpiqeshin të bënin më të mirën. Mike e dinte që duhej të mbante shpejtësinë për të fituar. Ndërsa i afroheshin vijës së finishit, Mike dha gjithçka dhe e kaloi vijën e parë.

Ai fitoi garën! Mike ndihej krenar dhe i lumtur. Tani ai ishte kampion i garës me biciklete.

Vocabulary

Bicycle	*Biçikletë*
Race	*Garë*
Helmet	*Kaskë*
Pedal	*Pedal*
Speed	*Shpejtësi*
Track	*Pista*
Compete	*Garoj*
Finish line	*Vijë finishi*
Tire	*Gomë*
Champion	*Kampion*
Route	*Rrugë*
Energy	*Energji*
Cyclist	*Çiklist*
Gear	*Pajisje*
Victory	*Fitore*

Questions About the Story

1. *What did Mike do to prepare for the bicycle race?*

    a) Checked his bicycle's tires
    b) Put on his running shoes
    c) Packed a lunch

2. *What was Mike's feeling during the race?*

    a) Scared
    b) Excited
    c) Tired

3. *How did Mike feel about the race track?*

    a) Easy
    b) Boring
    c) Long and challenging

4. *What was essential for Mike to win the race?*

    a) Speed
    b) A new bike
    c) A cheering crowd

5. *What did Mike focus on to keep his energy high?*

    a) The start line
    b) The other cyclists
    c) The finish line

Correct Answers:

1. a) Checked his bicycle's tires
2. b) Excited
3. c) Long and challenging
4. a) Speed
5. c) The finish line

- Chapter Twenty-Two -
A NIGHT AT THE CAMPING

Një Natë në Kamp

Sarah dhe miqtë e saj shkuan për kamping në pyll. Ata ngrenë çadrën e tyre pranë një liqeni të bukur. Ndërsa ra nata, ata ndezën një zjarr kampi dhe pjekën marshmallows.

Pylli ishte i qetë, dhe qielli ishte plot me yje. Ata ndanë histori dhe shijuan qetësinë e natyrës. Sarah ndihej e lumtur që ishte larg qytetit të zënë.

Para se të shkonin për të fjetur, ata ndezën llambat e tyre për të gjetur rrugën mbrapsht te çadra. Nata ishte e errët, por zjarri i mbajti të ngrohtë.

Shtrirë në çadrën e tyre, ata dëgjuan zërat e pyllit. Ishte një natë perfekte për kamping. Sarah mendoi për sa shumë i pëlqente qetësia dhe yjet.

Vocabulary

Camping	*Kamping*
Tent	*Çadër*
Fire	*Zjarr*
Marshmallow	*Marshmallow*
Forest	*Pyll*
Star	*Yll*
Sleep	*Flas*
Dark	*Errët*
Flashlight	*Llambë*
Backpack	*Çantë shpine*
Nature	*Natyrë*
Quiet	*Qetë*
Campfire	*Zjarr kampi*
Night	*Natë*
Lake	*Liqen*

Questions About the Story

1. *What did Sarah and her friends do as night fell during their camping trip?*

    a) They went to sleep immediately
    b) They lit a campfire and roasted marshmallows
    c) They packed up and went home

2. *What made Sarah feel happy while camping?*

    a) The busy city life
    b) The sound of cars passing by
    c) The peacefulness of nature

3. *What did Sarah and her friends use to find their way back to the tent?*

    a) A map
    b) Flashlights
    c) A compass

4. *How did Sarah and her friends feel about the forest at night?*

    a) Scared and uneasy
    b) Curious and adventurous
    c) Peaceful and content

5. *What kept Sarah and her friends warm at night?*

    a) Their sleeping bags
    b) The campfire
    c) Hot drinks

Correct Answers:

1. b) They lit a campfire and roasted marshmallows
2. c) The peacefulness of nature
3. b) Flashlights
4. c) Peaceful and content
5. b) The campfire

- Chapter Twenty-Three -
THE FAMILY REUNION

Ribashkimi i Familjes

Verën e kaluar, Emma mori pjesë në një ribashkim familjar. U mbajt në shtëpinë e gjyshërve të saj, ku u mblodhën të gjithë të afërmit e saj, përfshirë kushërinjtë, tezet dhe xhaxhallarët. Ata organizuan një barbecue të madh në kopsht.

Të gjithë qeshnin dhe ndanin histori nga e kaluara. Gjyshërit e Emës tregonin tregime rreth rinisë së tyre, të cilat të gjithë i gjetën argëtuese dhe ngrohtësuese për zemrën. Kishin përqafime dhe buzëqeshje kudo ndërsa anëtarët e familjes u ribashkuan.

Ata morën shumë foto për të kapur kujtimet e ditës. Ribashkimi ishte një festë e lidhjeve familjare dhe dashurisë. Ata shijuan një festë së bashku, duke ndjerë gëzimin e të qenit së bashku pas një kohe të gjatë.

Emma ndihej mirënjohëse për familjen e saj. Ribashkimi i kujtoi lidhjen e fortë që ndanin. Ajo shpresonte për më shumë mbledhje në të ardhmen.

Vocabulary

Family	*Familje*
Reunion	*Ribashkim*
Cousin	*Kushëri*
Barbecue	*Barbecue*
Laugh	*Qesh*
Story	*Histori*
Grandparent	*Gjyshër*
Hug	*Përqafim*
Together	*Së bashku*
Memory	*Kujtim*
Photo	*Foto*
Celebration	*Festë*
Feast	*Gëzim*
Joy	*Të afërm*
Relative	*Krewny*

Questions About the Story

1. *Where was the family reunion held?*

   a) At a park
   b) At Emma's house
   c) At her grandparents' house

2. *What did the family organize in the garden?*

   a) A dance party
   b) A big barbecue
   c) A swimming competition

3. *What were Emma's grandparents doing that everyone found amusing?*

   a) Performing magic tricks
   b) Singing
   c) Telling tales about their youth

4. *How did the family members feel during the reunion?*

   a) Indifferent
   b) Anxious
   c) Joyful and grateful

5. *What did Emma and her family do to capture memories of the day?*

   a) Painted a mural
   b) Wrote in a journal
   c) Took a lot of photos

Correct Answers:

1. c) At her grandparents' house
2. b) A big barbecue
3. c) Telling tales about their youth
4. c) Joyful and grateful
5. c) Took a lot of photos

- Chapter Twenty-Four -
A VISIT TO THE MUSEUM

Vizitë në Muze

Liam dhe klasa e tij shkuan në një ekskursion në muze. Ata ishin të emocionuar për të parë ekspozitat mbi historinë dhe artin. Udhëheqësi i muzeut i çoi ata nëpër galeritë, duke shpjeguar çdo ekspozitë.

Ata panë skulptura të lashta dhe piktura të bukura. Liam u magjeps nga historitë pas çdo vepra arti. Ata mësuan rreth kulturave të ndryshme dhe zbuluan informacione që ishin të reja për ta.

Një nga pikat kryesore ishte shikimi i një statue nga një qytetërim i lashtë. Liam shënoi shënime dhe i bëri shumë pyetje udhëheqësit. Ai donte të mësonte sa më shumë të ishte e mundur.

Vizita në muze ishte një aventurë edukative. Liam dhe shokët e tij të klasës u larguan të frymëzuar dhe të etur për të eksploruar më shumë rreth historisë dhe artit.

Vocabulary

Museum	*Muze*
Exhibit	*Ekspozitë*
History	*Histori*
Art	*Art*
Guide	*Udhëheqës*
Sculpture	*Skulpturë*
Painting	*Pikturë*
Ticket	*Biletë*
Tour	*Tur*
Ancient	*I lashtë*
Culture	*Kulturë*
Discover	*Zbuloj*
Information	*Informacion*
Statue	*Statujë*
Gallery	*Galeri*

Questions About the Story

1. *What was the purpose of Liam and his class's visit to the museum?*

    a) To see exhibits about history and art
    b) To participate in an art competition
    c) To attend a music concert

2. *Who led Liam and his class through the museum?*

    a) Their teacher
    b) A museum guide
    c) A famous artist

3. *What did Liam find fascinating at the museum?*

    a) Modern art installations
    b) Ancient sculptures and beautiful paintings
    c) Interactive science exhibits

4. *What did Liam do when he saw the statue from an ancient civilization?*

    a) He ignored it
    b) He took notes and asked many questions
    c) He drew a sketch of it

5. *What did Liam and his classmates learn about at the museum?*

    a) Different cultures
    b) Cooking recipes
    c) Sports history

Correct Answers:

1. a) To see exhibits about history and art
2. b) A museum guide
3. b) Ancient sculptures and beautiful paintings
4. b) He took notes and asked many questions
5. a) Different cultures

- Chapter Twenty-Five -
THE BOOK CLUB

Klubi i Librit

Ana u bashkua me një klub libri në lagjen e saj. Çdo muaj, ata zgjedhin një roman për të lexuar dhe diskutuar. Këtë muaj, ata lexuan një histori tërheqëse me personazhe intriguese dhe një skemë komplekse.

Në takim, anëtarët ndanë mendimet dhe interpretimet e tyre mbi librin. Ata folën për stilin e autorit dhe temat e eksploruara në histori. Secili kishte pikëpamje të ndryshme, gjë që bëri diskutimin të gjallë dhe interesant.

Anës i pëlqente të dëgjonte çfarë mendonin të tjerët për librin. Ajo e gjeti iluminuese të shihte se si një histori mund të perceptohej në shumë mënyra. Klubi gjithashtu rekomandoi edhe libra të tjerë nga i njëjti autor dhe në zhanre të ngjashme.

Të qenit pjesë e klubit të librit i lejoi Anës të zbulonte letërsi të re dhe të bënte miq që ndanin pasionin e saj për leximin. Ajo shikonte me padurim për çdo takim dhe librat e rinj që do të eksploronin së bashku.

Vocabulary

Book	*Libër*
Club	*Klub*
Read	*Lexoj*
Discuss	*Diskutoj*
Author	*Autor*
Novel	*Roman*
Character	*Personazh*
Plot	*Skenë*
Meeting	*Takim*
Opinion	*Mendim*
Chapter	*Kapitull*
Recommend	*Rekomandoj*
Genre	*Zhanër*
Theme	*Temë*
Literature	*Letërsi*

Questions About the Story

1. *What activity does Anna participate in with her neighborhood?*

   a) Gardening
   b) Painting
   c) Reading books

2. *How often does the book club choose a new novel to read?*

   a) Every month
   b) Every week
   c) Every two months

3. *What did the book club members do at the meeting?*

   a) Practiced cooking
   b) Shared their opinions about the book
   c) Painted pictures

4. *How did Anna feel about the book club discussions?*

   a) Enlightened and interested
   b) Bored and uninterested
   c) Confused and overwhelmed

5. *What did the book club do besides discussing the current book?*

   a) Organized a picnic
   b) Took a group photo
   c) Recommended other books

Correct Answers:

1. c) Reading books
2. a) Every month
3. b) Shared their opinions about the book
4. a) Enlightened and interested
5. c) Recommended other books

- Chapter Twenty-Six -
SPORTS DAY

Dita e Sportit

Sot është Dita e Sportit në shkollë. Të gjithë janë të emocionuar për garën. Ekipet janë të gatshme dhe atletët po ngrohen në pistë. Ajri është i mbushur me zërin e njerëzve që duartrokasin.

Ngjarja e parë është gara. Marku vrapon sa më shpejt që mundet, sytë e tij janë në vijën e finishit. Ai fiton garën dhe ndihet krenar kur merr medaljen. Trajneri i tij i jep një shenjë miratimi me gisht, dhe ekipi i tij duartroket me zë të lartë.

Më pas është kërcimi i gjatë. Sara merr frymë thellë dhe vrapon. Ajo kërcen me të gjithë fuqinë e saj dhe fiton një tjetër medalje për ekipin e saj. Të gjithë duartrokasin për performancën e saj.

Në fund të ditës, ekipi me medaljet më të shumta fiton trofeun. Ata kanë stërvitur shumë për këtë ditë, dhe përpjekja e tyre është shpërblyer. Dita e Sportit ishte një sukses, e mbushur me argëtim, garë dhe frymë ekipore.

Vocabulary

Competition	*Garë*
Team	*Ekip*
Medal	*Medalje*
Race	*Garë*
Jump	*Kërcim*
Run	*Vrapoj*
Winner	*Fitues*
Coach	*Trajner*
Sport	*Sport*
Cheer	*Duartrokitje*
Athlete	*Atlet*
Track	*Pistë*
Strength	*Fuqi*
Practice	*Stërvitje*
Trophy	*Trofe*

Questions About the Story

1. *What event did Mark participate in during Sports Day?*

   a) Race
   b) Long jump
   c) Soccer

2. *Who won the race?*

   a) Sarah
   b) The coach
   c) Mark

3. *What did Mark feel after winning the race?*

   a) Sad
   b) Proud and happy
   c) Indifferent

4. *What event did Sarah win?*

   a) Race
   b) Long jump
   c) Chess

5. *What did the team win at the end of the day?*

   a) A medal
   b) A trophy
   c) A certificate

Correct Answers:

1. a) Race
2. c) Mark
3. b) Proud and happy
4. b) Long jump
5. b) A trophy

- Chapter Twenty-Seven -
THE MAGIC SHOW

Shfaqja Magjike

Sot në mbrëmje, salla e qytetit është vendi i një shfaqje magjike. Magjistari, Leo, është gati të mahnitë audiencën me truqe dhe iluzione. Dhoma është e errët, përveç një reflektori në skenë.

Leo fillon duke bërë të zhduket një lepur nga kapeleja e tij. Audiencën e kap habia dhe më pas duartrokasin. Për trukun e tij të radhës, ai kërkon një vullnetar për të zgjedhur një letër. Letra e zgjedhur shfaqet magjikisht në xhepin e Leos!

Akti final është më spektakolar. Leo lëviz shkopin magjik dhe me një "puf," ai zhduket, vetëm për të rishfaqur pas audiencës! Të gjithë janë të tronditur dhe duartrokasin me zë të lartë.

Ndërsa bie perdet, audiencën vazhdon të duartrokasë, e mahnitur nga magjia që kanë parë. Ishte një natë e mbushur me surpriza dhe iluzione magjike.

Vocabulary

Magic	*Magji*
Trick	*Truk*
Magician	*Magjistar*
Disappear	*Zhduket*
Rabbit	*Lepur*
Hat	*Kapelë*
Applaud	*Duartrokit*
Card	*Letër*
Illusion	*Iluzion*
Show	*Shfaqje*
Wand	*Shkop magjik*
Audience	*Audiencë*
Perform	*Performoj*
Curtain	*Perde*
Surprise	*Surprizë*

Questions About the Story

1. *Where was the magic show hosted?*

   a) School auditorium
   b) Town hall
   c) Local park

2. *What was the first trick Leo performed?*

   a) Pulled a rabbit from his hat
   b) Made himself disappear
   c) Picked a card from a volunteer

3. *How did Leo surprise the audience with the card trick?*

   a) The card floated in mid-air
   b) The card changed colors
   c) The chosen card appeared in his pocket

4. *What was Leo's final act?*

   a) Turning day into night
   b) Making a volunteer vanish
   c) Disappearing and reappearing behind the audience

5. *How did the audience react to Leo's final act?*

   a) With silence
   b) With boos
   c) With loud cheers

Correct Answers:

1. b) Town hall
2. a) Pulled a rabbit from his hat
3. c) The chosen card appeared in his pocket
4. c) Disappearing and reappearing behind the audience
5. c) With loud cheers

- Chapter Twenty-Eight -
AT THE BEACH

Në Plazh

Emma dhe miqtë e saj vendosin të kalojnë ditën në plazh. Dielli po shkëlqen, dhe një erë e lehtë freskon ajrin. Ata shtrijnë peshqirët e tyre në rërën e butë dhe vendosin një tendë dielli.

Fëmijët ndërtojnë një kështjellë rëre pranë bregut, ndërsa Emma dhe miqtë e saj shtrihen për të marrë rreze dhe bisedojnë. Ata vëzhgojnë pëllumbat deti që fluturojnë dhe dëgjojnë valët që përplasen.

Pas një kohe, të gjithë shkojnë për të notuar. Uji është freskues. Ata shpërthejnë dhe luajnë në valë, duke qeshur dhe duke kaluar mirë.

Ndërsa dita përfundon, ata mbledhin gjërat, duke lënë gjurmë në rërë. Dita në plazh ishte perfekte, e mbushur me argëtim, relaksim dhe bukurinë e natyrës.

Vocabulary

Sand	*Rërë*
Wave	*Valë*
Shell	*Guackë*
Towel	*Peshqir*
Sunbathe	*Marr rreze*
Castle	*Kështjellë*
Ocean	*Oqean*
Seagull	*Pëllumb deti*
Shore	*Breg*
Swim	*Notoj*
Bucket	*Kovë*
Sunburn	*Djegie nga dielli*
Surf	*Valëzim*
Cool	*Freskoj*
Breeze	*Erë*

Questions About the Story

1. *What did Emma and her friends decide to do for the day?*

    a) Go hiking
    b) Visit the museum
    c) Spend the day at the beach

2. *What activity did the children engage in near the shore?*

    a) Playing volleyball
    b) Building a sandcastle
    c) Swimming

3. *What did Emma and her friends do while the children played?*

    a) They went for a swim
    b) They built a sandcastle
    c) They sunbathed and chatted

4. *How did Emma and her friends feel when they went for a swim?*

    a) Tired
    b) Cold
    c) Refreshed

5. *What did they do as the day ended?*

    a) Started a campfire
    b) Left footprints in the sand as they packed up
    c) Stayed for the night

Correct Answers:

1. c) Spend the day at the beach
2. b) Building a sandcastle
3. c) They sunbathed and chatted
4. c) Refreshed
5. b) Left footprints in the sand as they packed up

- Chapter Twenty-Nine -
THE PHOTOGRAPHY CONTEST

Konkursi i Fotografisë

Anna adhuron të bëjë foto. Ajo merr vesh për një konkurs fotografie në qytetin e saj. Tema është "Natyra në Qytet." Anna është e emocionuar dhe dëshiron të kapë imazhin perfekt.

Ajo merr kamerën e saj dhe shëtit rreth qytetit. Anna kërkon këndin më të mirë për të treguar natyrën në qytetin e zënë. Ajo fotografon pemët në park, zogjtë në rrugë dhe lulet që rriten nëpër çarjet e trotuareve.

Pas shumë fotove, Anna zgjedh foton e saj më të mirë. Është një foto e një fluture në një lule me ndërtesa të larta në sfond. Ajo përpunon foton për të fokusuar më shumë tek flutura dhe e dërgon atë në konkurs.

Javë më vonë, Anna merr lajme të mira. Ajo është fituesja! Fotografia e saj do të ekspozohet në sallën e qytetit. Ajo fiton një çmim dhe ndihet krenare për punën e saj. Anna është e lumtur që mundi të tregojë bukurinë e natyrës në qytet përmes objektivit të saj.

Vocabulary

Camera	*Kamera*
Photograph	*Fotografoj*
Picture	*Foto*
Contest	*Konkurs*
Image	*Imazh*
Focus	*Fokusoj*
Prize	*Çmim*
Capture	*Kap*
Lens	*Objektiv*
Angle	*Kënd*
Shot	*Fotografi*
Edit	*Përpunoj*
Theme	*Temë*
Winner	*Fitues*
Exhibit	*Ekspozoj*

Questions About the Story

1. *What is the theme of the photography contest Anna participates in?*

    a) Urban Landscapes
    b) Nature in the City
    c) City Nightlife

2. *What subjects does Anna photograph for the contest?*

    a) Skyscrapers and streets
    b) People in the city
    c) Trees, birds, and flowers

3. *What makes Anna's winning photograph special?*

    a) It shows a crowded city scene
    b) It captures a butterfly on a flower with skyscrapers in the background
    c) It is a picture of a sunset over the city

4. *How does Anna feel after winning the photography contest?*

    a) Disappointed
    b) Confused
    c) Proud

5. *What does Anna do with her camera in the city?*

    a) Sells it
    b) Takes photographs
    c) Loses it

Correct Answers:

1. b) Nature in the City
2. c) Trees, birds, and flowers
3. b) It captures a butterfly on a flower with skyscrapers in the background
4. c) Proud
5. b) Takes photographs

- Chapter Thirty -
A PLAY IN THE PARK

Një Shfaqje në Park

Grupi lokal i teatrit vendos të performojë një shfaqje në park. Shfaqja është një komedi mbi miqësinë dhe aventurën. Të gjithë janë të emocionuar për performancën në natyrë.

Lucas është regjisori. Ai punon me aktorët për të stërvitur replikat dhe veprimet e tyre. Aktorët veshin kostume të ngjyrosura dhe përdorin rekuizita për të bërë skenat më interesante.

Në ditën e performancës, shumë njerëz vijnë në park. Ata ulen në batanije dhe karrige, duke pritur që shfaqja të fillojë. Kur perdet hapen, aktorët dalin në skenë, dhe shfaqja fillon.

Audiencës i pëlqen shfaqja. Ata qeshin dhe duartrokasin pas çdo skene. Aktorët ndihen të lumtur që sjellin gëzim për kaq shumë njerëz.

Pas skenës së fundit, audiencës jep një duartrokitje të madhe. Aktorët përulen, dhe Lucas falënderon të gjithë për ardhjen. Ishte një shfaqje e suksesshme në park, dhe të gjithë shpresojnë të shohin më shumë në të ardhmen.

Vocabulary

Play	Shfaqje
Actor	Aktor
Stage	Skenë
Performance	Performancë
Audience	Audiencë
Script	Skenar
Character	Personazh
Applause	Duartrokitje
Costume	Kostum
Rehearse	Stërvit
Director	Regjisor
Curtain	Perde
Drama	Dramë
Props	Rekuizita
Scene	Skenë

Questions About the Story

1. *What type of play does the local theater group decide to perform in the park?*

    a) A drama about history
    b) A comedy about friendship and adventure
    c) A musical about love

2. *Who is the director of the play?*

    a) Lucas
    b) Emma
    c) Sarah

3. *What do the actors use to make the scenes more interesting?*

    a) Special lighting effects
    b) Colorful costumes and props
    c) Pre-recorded music

4. *How does the audience watch the play?*

    a) Standing up
    b) Sitting on blankets and chairs
    c) Via a live stream

5. *What is the audience's reaction to the play?*

    a) They are bored
    b) They are confused
    c) They laugh and applaud

Correct Answers:

1. b) A comedy about friendship and adventure
2. a) Lucas
3. b) Colorful costumes and props
4. b) Sitting on blankets and chairs
5. c) They laugh and applaud

- Chapter Thirty-One -
THE HEALTH FAIR

Panairi i Shëndetit

Qendra komunitare organizon një panair shëndetësor. Qëllimi është të mësojë njerëzit rreth ushqimit, ushtrimeve dhe mirëqenies në përgjithësi. Shumë mjekë dhe ekspertë vijnë për të dhënë këshilla dhe për të kryer kontrolle falas.

Emily është e interesuar të mësojë më shumë rreth jetesës së shëndetshme. Ajo viziton stenda të ndryshme në panair. Në një stendë, ajo mëson rreth rëndësisë së ushtrimeve. Një stendë tjetër ofron këshilla ushqimore për një dietë të balancuar.

Ka gjithashtu kontrolle për ndonjë shqetësim shëndetësor. Emily vendos të bëjë një kontroll, dhe mjeku i thotë se është e shëndetshme, por duhet të ushtrohet më rregullisht.

Emily largohet nga panairi i shëndetit e motivuar. Ajo ka mësuar shumë rreth mbajtjes së trupit të shëndetshëm. Ajo planifikon të fillojë të ushtrohet më shumë dhe të hajë më mirë. Panairi i shëndetit ishte një mënyrë e shkëlqyer për të filluar udhëtimin e saj drejt mirëqenies.

Vocabulary

Health	Shëndet
Fair	Panair
Nutrition	Ushqyerje
Exercise	Ushtrim
Doctor	Mjek
Check-up	Kontroll
Wellness	Mirëqenie
Booth	Stendë
Advice	Këshillë
Fitness	Formë
Screen	Skrini
Healthy	I shëndetshëm
Diet	Dietë
Prevention	Parandalim
Hygiene	Higjienë

Questions About the Story

1. *Where did the health fair take place?*

    a) At a school
    b) In a park
    c) At the community center

2. *What was the main goal of the health fair?*

    a) To promote local businesses
    b) To teach people about nutrition, exercise, and wellness
    c) To fundraise for the community center

3. *Which booth did Emily learn about the importance of exercise?*

    a) Nutrition booth
    b) Exercise booth
    c) Wellness booth

4. *What advice did another booth offer Emily?*

    a) To exercise more regularly
    b) To drink more water
    c) Nutritional advice for a balanced diet

5. *What did the doctor advise Emily after her health check-up?*

    a) She's healthy but should exercise more regularly
    b) She needs to eat more vegetables
    c) She should drink more water

Correct Answers:

1. c) At the community center
2. b) To teach people about nutrition, exercise, and wellness
3. b) Exercise booth
4. c) Nutritional advice for a balanced diet
5. a) She's healthy but should exercise more regularly

- Chapter Thirty-Two -
A BOAT TRIP

Një Udhëtim me Varkë

Tomi dhe miqtë e tij vendosin të bëjnë një udhëtim me varkë në lumë. Tomi është kapiteni i varkës së vogël. Ata veshin jelekë shpëtimi për siguri dhe nisin udhëtimin e tyre herët në mëngjes.

Uji është i qetë, dhe ata shohin peshqit që notojnë nën varkë. Dielli ndriçon ndritshëm, duke bërë që uji të shkëlqejë. Ata lundrojnë pranë bregjeve të gjelbra, duke i përshëndetur varkat e tjera.

Në mesditë, ata ankorohen pranë një vendi të bukur dhe bëjnë një piknik në dek. Ata ndajnë sanduiçe dhe pije, duke shijuar pamjen dhe valët e buta.

Pas pushimit, ata vazhdojnë udhëtimin e tyre. Ata shohin zogjtë që fluturojnë mbi lumë dhe shijojnë ajrin e pastër. Udhëtimi ndihet si një aventurë.

Ndërsa dielli perëndon, ata kthehen në port dhe ankorojnë varkën. Ata falënderojnë Tomin për të qenë një kapiten i shkëlqyer. Ishte një ditë perfekte në ujë, e mbushur me argëtim dhe relaksim.

Vocabulary

Boat	*Varkë*
River	*Lumë*
Sail	*Lundroj*
Captain	*Kapiten*
Fish	*Peshk*
Water	*Ujë*
Trip	*Udhëtim*
Anchor	*Ankoroj*
Deck	*Dek*
Wave	*Valë*
Life jacket	*Je*
Port	*Port*
Voyage	*Udhëtim*
Crew	*Ekuipazh*
Dock	*Ankoroj*

Questions About the Story

1. *Who is the captain of the boat during the trip?*

   a) Tom
   b) One of Tom's friends
   c) A hired captain

2. *What safety gear did Tom and his friends wear on the boat?*

   a) Life jackets
   b) Helmets
   c) Elbow pads

3. *What time of day did they start their boat trip?*

   a) Early in the morning
   b) At noon
   c) In the evening

4. *What natural feature did they enjoy during their picnic on the deck?*

   a) Mountains
   b) Fish swimming under the boat
   c) Desert

5. *What did Tom and his friends do at noon during their boat trip?*

   a) Continued sailing
   b) Went swimming
   c) Had a picnic on the deck

Correct Answers:

1. a) Tom
2. a) Life jackets
3. a) Early in the morning
4. b) Fish swimming under the boat
5. c) Had a picnic on the deck

- Chapter Thirty-Three -
THE SCHOOL CONCERT

Koncerti Shkollor

Shkolla vendos të organizojë një koncert për të shfaqur grupin e saj muzikor dhe korin. Nxënësit kanë stërvitur për javë, dhe të gjithë janë të emocionuar për të performuar.

Në natën e koncertit, audiencës i mbush auditoriumi i shkollës. Dritat fiken, dhe skena ndriçohet. Banda fillon të luajë, dhe këngëtarët fillojnë të këndojnë. Muzika mbush dhomën, dhe audiencës i kaplon.

Gjatë koncertit, disa nxënës performojnë solo. Ata luajnë instrumente ose këndojnë, duke treguar talentin e tyre. Pas çdo performancë, audiencës duartroket me zë të lartë, duke treguar vlerësimin e tyre.

Kënga e fundit i mblidh të gjithë së bashku në skenë. Është një moment i bukur, dhe kur muzika përfundon, duartrokitjet janë të fuqishme.

Koncerti ishte një sukses. Nxënësit ndihen krenarë për performancën e tyre, dhe audiencës largohet duke kënduar këngën e fundit. Ishte një natë për t'u mbajtur mend, e mbushur me muzikë dhe gëzim.

Vocabulary

Concert	*Koncert*
Music	*Muzikë*
Band	*Bandë*
Sing	*Këndoj*
Audience	*Audiencë*
Stage	*Skenë*
Instrument	*Instrument*
Perform	*Performoj*
Choir	*Kor*
Song	*Këngë*
Applause	*Duartrokitje*
Microphone	*Mikrofon*
Rehearsal	*Stërvitje*
Solo	*Solo*
Note	*Notë*

Questions About the Story

1. *What event does the story describe?*

    a) A school play
    b) A school concert
    c) A sports day

2. *What did the students do to prepare for the concert?*

    a) Practiced for weeks
    b) Studied science experiments
    c) Rehearsed a play

3. *How did the audience react to the concert?*

    a) They were silent
    b) They left early
    c) They applauded loudly

4. *What was the highlight of the concert?*

    a) The lighting
    b) The solos
    c) The costumes

5. *What brought everyone together on stage?*

    a) The opening song
    b) The final song
    c) An award ceremony

Correct Answers:

1. b) A school concert
2. a) Practiced for weeks
3. c) They applauded loudly
4. b) The solos
5. b) The final song

- Chapter Thirty-Four -
A WINTER FESTIVAL

Festivali i Dimrit

Qyteti mban një festival dimri çdo vit. Këtë vit, Lucy dhe familja e saj vendosin të bashkohen me argëtimin. Festivali është i mbushur me aktivitete si patinazhi në akull, lufta me topa bore dhe pirja e kakao të nxehtë.

Ata fillojnë duke bërë patinazh mbi liqenin e ngrirë. Fillimisht, Lucy është pak e pasigurt, por së shpejti ajo fillon të lëvizë si një profesioniste. Ata qeshin dhe shijojnë ajrin e freskët dimëror.

Më pas, ata bëjnë një luftë me topa bore, duke ndërtuar fortesa nga bora. Dëborrat bien butësisht, duke shtuar në argëtim. Pas betejës, ata ngrohen me kakao të nxehtë pranë oxhakut, ndihen të rehatshëm.

Kulmi i festivalit është rrëshqitja me sanie. Ata mbështillen me shalla dhe dorashka dhe shijojnë rrëshqitjen nëpër rrugët e mbuluara me borë, ndiejnë të ftohtin por duan ngrohtësinë e të qenit së bashku.

Festivali i dimrit sjell gëzim dhe ngrohtësi në sezonin e ftohtë. Lucy dhe familja e saj shkojnë në shtëpi të lumtur dhe të kënaqur, duke pritur me padurim vitin tjetër.

Vocabulary

Festival	*Festival*
Ice skating	*Patinazh në akull*
Snowball	*Top borë*
Hot cocoa	*Kakao e nxehtë*
Winter	*Dimër*
Snowflake	*Dëborë*
Mittens	*Dorashka*
Scarf	*Shall*
Fireplace	*Oxhak*
Celebration	*Festim*
Chill	*Ftohtësi*
Sleigh	*Sanie*
Frost	*Acar*
Warmth	*Ngrohtësi*
Cozy	*Rehatshëm*

Questions About the Story

1. *What is the theme of the winter festival?*

    a) Sports competitions
    b) Food tasting
    c) Ice skating and snow activities

2. *What activity did Lucy find challenging at first?*

    a) Sleigh riding
    b) Snowball fighting
    c) Ice skating

3. *How did Lucy and her family feel during the sleigh ride?*

    a) Scared
    b) Excited but cold
    c) Bored

4. *What did Lucy and her family do to warm up after the snowball fight?*

    a) Went home
    b) Drank hot cocoa by the fireplace
    c) Continued playing in the snow

5. *What makes the winter festival special for Lucy and her family?*

    a) Winning a prize
    b) The cold weather
    c) The joy and warmth of being together

Correct Answers:

1. c) Ice skating and snow activities
2. c) Ice skating
3. b) Excited but cold
4. b) Drank hot cocoa by the fireplace
5. c) The joy and warmth of being together

- Chapter Thirty-Five -
THE HOMEMADE ROBOT

Roboti i Bërë në Shtëpi

Jake adhuron të shpikë gjëra. Një ditë, ai vendos të ndërtojë një robot. Ai mblidhet bateri, tela dhe pjesë të tjera. Ai punon në dhomën e tij, duke projektuar dhe programuar mikun e tij të ri.

Pas shumë orësh, roboti i Jake është gati. Ai e quan atë Robo. Robo mund të lëvizë, të flasë dhe madje të ndihmojë me detyrat e shtëpisë. Jake përdor një kontrollues të largët për të operuar Robon dhe ia tregon shtëpinë.

Familja e Jake është e mahnitur nga Robo. Ata shikojnë ndërsa Robo merr lodrat dhe pastron dhomën. Jake është krenar për shpikjen e tij. Ai planifikon më shumë eksperimente për të përmirësuar funksionet e Robos.

Robo bëhet pjesë e familjes së Jake. Jake mëson shumë rreth teknologjisë dhe makinave përmes Robos. Ai ëndërron të bëhet një shpikës i madh, duke krijuar më shumë robotë për të ndihmuar njerëzit.

Vocabulary

Robot	Robot
Build	Ndërtoj
Program	Programoj
Battery	Bateri
Control	Kontrolloj
Invent	Shpik
Machine	Makinë
Design	Projekt
Circuit	Qark
Technology	Teknologji
Sensor	Sensor
Operate	Operoj
Experiment	Eksperiment
Function	Funksion
Automatic	Automatik

Questions About the Story

1. *What does Jake love to do?*

   a) Cook
   b) Invent things
   c) Play sports

2. *What is the name of Jake's robot?*

   a) Robo
   b) Buddy
   c) Sparky

3. *What can Robo do?*

   a) Sing
   b) Dance
   c) Help with homework

4. *How does Jake operate Robo?*

   a) Voice commands
   b) A remote control
   c) An app

5. *What is Jake's family's reaction to Robo?*

   a) Scared
   b) Amazed
   c) Indifferent

Correct Answers:

1. b) Invent things
2. a) Robo
3. c) Help with homework
4. b) A remote control
5. b) Amazed

- Chapter Thirty-Six -
A SCIENCE EXPERIMENT

Eksperimenti Shkencor

Sara është një nxënëse kurioze që adhuron shkencën. Për projektin e saj shkollor, ajo vendos të kryejë një eksperiment në laborator. Ajo dëshiron të kuptojë reaksionet kimike.

Me syzet e sigurisë të vëna, Sara mat me kujdes kimikatet dhe i derdh ato në një epruvetë. Ajo vëzhgon ndërsa zgjidhja ndryshon ngjyrë dhe formohen flluska. Ajo shënon vëzhgimet dhe hipotezën e saj.

Mësuesi i saj shikon dhe përkrah me kokë miratueshmërisht. Sara shpjegon eksperimentin e saj për klasën, duke treguar të dhënat dhe rezultatet. Shokët e saj janë të impresionuar nga dijet e saj dhe reaksioni emocionues.

Eksperimenti i Sarës fiton panairin shkencor të shkollës. Ajo ndihet krenare dhe e emocionuar për arritjen e saj. Ajo kupton se shkenca është rreth eksplorimit dhe zbulimit të mrekullive të botës.

Vocabulary

Experiment	*Eksperiment*
Science	*Shkencë*
Test tube	*Epruvetë*
Measure	*Mat*
Observation	*Vëzhgim*
Laboratory	*Laborator*
Chemical	*Kimikat*
Reaction	*Reaksion*
Hypothesis	*Hipotezë*
Data	*Të dhëna*
Result	*Rezultat*
Research	*Kërkim*
Safety goggles	*Syze sigurie*
Solution	*Zgjidhje*
Analyze	*Analizoj*

Questions About the Story

1. *What is Sara's school project about?*

   a) Physics
   b) Chemical reactions
   c) Biology

2. *What does Sara wear for safety during her experiment?*

   a) Apron
   b) Safety goggles
   c) Gloves

3. *What happens to the solution in the test tube during Sara's experiment?*

   a) It freezes
   b) It changes color and bubbles
   c) It becomes solid

4. *Who observes Sara conducting her experiment?*

   a) Her friends
   b) Her parents
   c) Her teacher

5. *What does Sara do with her observations?*

   a) Tells her friends
   b) Writes them down
   c) Ignores them

Correct Answers:

1. b) Chemical reactions
2. b) Safety goggles
3. b) It changes color and bubbles
4. c) Her teacher
5. b) Writes them down

- Chapter Thirty-Seven -
THE LIBRARY ADVENTURE

Aventura në Bibliotekë

Emily viziton bibliotekën për të gjetur një libër për projektin e saj të historisë. Ndërsa kërkon në raftet e librave, ajo zbulon një libër misterioz pa titull. E intriguar, ajo e hap atë dhe gjen një hartë që çon në një seksion të fshehur të bibliotekës.

Me një ndjenjë avantureske, Emily ndjek hartën. Ajo pëshpërit vetes, e emocionuar për misterin. Bibliotekarja e shikon me një buzëqeshje, duke njohur sekretet e bibliotekës.

Në fund, Emily gjen seksionin e fshehur. Është i mbushur me libra të lashtë dhe tregime. Ajo kalon orë duke lexuar dhe zbuluar gjëra të reja. Ajo merr me vete disa libra, e etur për të mësuar më shumë në shtëpi.

Ndërsa kthen librat, Emily falënderon bibliotekaren për aventurën e mahnitshme. Ajo ka gjetur jo vetëm libra, por edhe dashurinë për leximin dhe eksplorimin e panjohurës.

Vocabulary

Library	Bibliotekë
Bookshelf	Raft libri
Adventure	Aventurë
Mystery	Mister
Librarian	Bibliotekare
Catalog	Katalog
Whisper	Pëshpërit
Discover	Zbuloj
Title	Titull
Author	Autor
Chapter	Kapitull
Story	Tregim
Borrow	Marr huazim
Return	Kthej
Reading	Lexim

Questions About the Story

1. *What does Emily discover in the library?*

    a) A mysterious book
    b) A hidden door
    c) A secret map

2. *What does the mysterious book contain?*

    a) A spell
    b) A map to a hidden section
    c) A history of the library

3. *Who watches Emily with a knowing smile?*

    a) A friend
    b) A ghost
    c) The librarian

4. *What is Emily's main purpose for visiting the library?*

    a) To return a book
    b) To meet friends
    c) To find a book for her history project

5. *How does Emily feel when following the map?*

    a) Scared
    b) Excited
    c) Confused

Correct Answers:

1. a) A mysterious book
2. b) A map to a hidden section
3. c) The librarian
4. c) To find a book for her history project
5. b) Excited

- Chapter Thirty-Eight -
A HIKING TRIP

Një Udhëtim në Mal

Tomi dhe Lisa vendosin të bëjnë një udhëtim në mal. Ata mbushin çantat e tyre me ujë, një hartë dhe një busull. Të emocionuar për të qenë afër natyrës, ata nisin aventurën e tyre herët në mëngjes.

Duke ndjekur një shteg të shënuar, ata ecin nëpër një pyll të dendur, duke dëgjuar zërat e kafshëve përreth tyre. Shtegu është i vështirë, por Tomi dhe Lisa shijojnë çdo hap, duke ndjerë ajrin e freskët malor.

Në mes të rrugës, ata ndalojnë për të kampuar. Ata ngrenë çadrën e tyre dhe shijojnë pamjen mahnitëse të luginës më poshtë. Nata është e qetë, dhe ata flenë nën yjet.

Ditën tjetër, ata arrijnë në majë. Pamja nga krye është mahnitëse. Ata eksplorojnë zonën, duke bërë foto për të mbajtur mend udhëtimin e tyre. Të kënaqur, ata fillojnë zbritjen, duke planifikuar tashmë udhëtimin e tyre të ardhshëm.

Vocabulary

Hike	*Ecje në mal*
Trail	*Shteg*
Backpack	*Çantë shpine*
Map	*Hartë*
Compass	*Busull*
Nature	*Natyrë*
Mountain	*Mal*
Forest	*Pyll*
Camp	*Kamp*
View	*Pamje*
Path	*Shteg*
Wildlife	*Fauna e egër*
Tent	*Çadër*
Summit	*Majë*
Explore	*Eksploroj*

Questions About the Story

1. *What do Tom and Lisa decide to do?*

   a) Have a picnic
   b) Go on a hiking trip
   c) Go fishing

2. *What do they pack in their backpacks?*

   a) Water, a map, and a compass
   b) Sunscreen and a beach towel
   c) A laptop and headphones

3. *Where do they decide to camp?*

   a) At the beach
   b) In a forest clearing
   c) Halfway up the mountain

4. *What is the view like from the summit?*

   a) Breathtaking
   b) Cloudy
   c) Foggy

5. *What do they do at the summit?*

   a) Start a fire
   b) Build a snowman
   c) Take photos

Correct Answers:

1. b) Go on a hiking trip
2. a) Water, a map, and a compass
3. c) Halfway up the mountain
4. a) Breathtaking
5. c) Take photos

- Chapter Thirty-Nine -
THE SCHOOL DANCE

Valsi Shkollor

Palestra e shkollës transformohet për valsin vjetor shkollor. Dritat e ngjyrosura dhe muzika mbushin dhomën, duke krijuar një atmosferë të gjallë. Emma dhe miqtë e saj janë të emocionuar, të veshur me rrobat më të bukura të tyre.

Muzika fillon, dhe të gjithë fillojnë të kërcejnë. Fillimisht, Emma ndihet e turpshme, por së shpejti gjen ritmin dhe fillon të lëvizë me besim. Ajo qesh dhe shijon momentin, ndjen ritmin e muzikës.

Jake, një shok nga klasa, e fton Emën për të kërcyer. Së bashku, ata bashkohen me të tjerët në pistë, duke lëvizur në ritmin e një kënge të preferuar. Dhomën e mbush energjia dhe të qeshurat ndërsa nxënësit shijojnë natën.

Ndërsa luhet kënga e fundit, Emma dhe miqtë e saj grumbullohen në një rreth, duke mbajtur duart dhe duke kërcyer. Ata janë të lumtur dhe mirënjohës për mbrëmjen e argëtuese. Valsi shkollor është një kujtim që ata do ta ruajnë.

Vocabulary

Dance	*Vallëzim*
Music	*Muzikë*
Friend	*Mik*
Dress	*Fustan*
Suit	*Kostum*
Gym	*Palestrë*
Move	*Lëviz*
Beat	*Ritëm*
Partner	*Partner*
Fun	*Argëtim*
Song	*Këngë*
DJ	*DJ*
Step	*Hap*
Laugh	*Qesh*
Enjoy	*Shijoj*

Questions About the Story

1. *What did Tom and Lisa decide to do?*

    a) Go on a beach vacation
    b) Take a boat trip
    c) Go on a hiking trip in the mountains

2. *What did they bring with them for the hike?*

    a) Just a map
    b) Water, a map, and a compass
    c) Only their cellphones

3. *Where did they stop to camp?*

    a) At the summit
    b) Halfway up the mountain
    c) In the dense forest

4. *What was the atmosphere like during their hike?*

    a) Noisy and crowded
    b) Quiet and filled with the sounds of wildlife
    c) Extremely windy and uncomfortable

5. *What did they do at the summit?*

    a) Decided to camp there
    b) Took photos to remember their journey
    c) Called for help to descend

Correct Answers:

1. c) Go on a hiking trip in the mountains
2. b) Water, a map, and a compass
3. b) Halfway up the mountain
4. b) Quiet and filled with the sounds of wildlife
5. b) Took photos to remember their journey

- Chapter Forty -
AN UNEXPECTED JOURNEY

Një Udhëtim i Papritur

Marku merr një letër misterioze me një hartë dhe një ftesë për një udhëtim të papritur. I intriguar, ai mbush çantën e tij dhe niset, i etur për të zbuluar se çfarë e pret.

Duke ndjekur hartën, Marku udhëton nëpër peizazhe të ndryshme, secila më e bukur se tjetra. Ai takon një udhëheqës të dijshëm që ndan histori rreth kulturës dhe monumenteve lokale.

Aventura i çon ata nëpër rrënoja të lashta, përtej lumenjve dhe në qytete plot jetë. Gjatë rrugës, Marku mëson dhe përjeton gjëra që kurrë nuk i kishte imagjinuar. Udhëtimi i mëson atij vlerën e eksplorimit dhe bukurinë e zbulimit të të panjohurës.

Ndërsa Marku kthehet në shtëpi, ai kupton se thesari i vërtetë ishte vetë udhëtimi dhe kujtimet që krijoi. Ai pret me padurim aventurën e tij të ardhshme me emocion dhe një zemër të hapur.

Vocabulary

Journey	*Udhëtim*
Surprise	*Beftësi*
Destination	*Destinacion*
Travel	*Udhëtoj*
Map	*Hartë*
Discover	*Zbuloj*
Adventure	*Aventurë*
Guide	*Udhëzues*
Explore	*Eksploroj*
Route	*Rrugë*
Vehicle	*Automjet*
Backpack	*Çantë shpine*
Landmark	*Monument*
Culture	*Kulturë*
Experience	*Përvojë*

Questions About the Story

1. *What does Mark receive that inspires him to start his journey?*

   a) A mysterious letter and a map
   b) A phone call from a friend
   c) A digital message

2. *What does Mark pack for his journey?*

   a) Just a camera and a notebook
   b) A backpack with water, a map, and a compass
   c) Only his phone and wallet

3. *Who does Mark meet that helps him during his journey?*

   a) A mysterious stranger
   b) A family member
   c) A knowledgeable guide

4. *What types of landscapes does Mark travel through?*

   a) Deserts and cities only
   b) Mountains and forests
   c) Ancient ruins, rivers, and vibrant cities

5. *What does Mark learn is the real treasure from his journey?*

   a) Gold and jewels
   b) The journey itself and the memories made
   c) A hidden artifact

Correct Answers:

1. a) A mysterious letter and a map
2. b) A backpack with water, a map, and a compass
3. c) A knowledgeable guide
4. c) Ancient ruins, rivers, and vibrant cities
5. b) The journey itself and the memories made

- Chapter Forty-One -
THE CULTURAL FESTIVAL

Festivali Kulturor

Sheshi i qytetit është plot jetë me Festivalin Vjetor Kulturor. Stenda të ngjyrosura rreshtohen në rrugë, secila përfaqëson kultura të ndryshme me muzikë, vallëzim dhe kostume tradicionale. Anna dhe Beni janë të emocionuar për të eksploruar.

Ata fillojnë me një performancë vallëzimi, ku valltarët në kostume të gjalla lëvizin në ritmin e muzikës tradicionale. Anna dhe Beni duartrokasin, të kapluar nga energia dhe aftësia.

Më pas, ata shëtisin nëpër stenda ushqimore, duke shijuar pjata nga e gjithë bota. Aromat janë tërheqëse, dhe çdo kafshatë është një zbulim i shijeve të reja.

Në stendën e zanateve, ata admironin punëdore të bëra me dorë, secila tregon një histori trashëgimie dhe tradite. Ata shikojnë një paradë të performuesve, çdo grup krenarisht përfaqëson kulturën e tyre.

Festivali është një festë e diversitetit dhe bashkimit. Anna dhe Beni largohen me një vlerësim më të thellë për kulturat e botës, zemrat e tyre të mbushura me muzikë dhe mendjet e pasuruara nga njohuritë e reja.

Vocabulary

Festival	*Festival*
Culture	*Kulturë*
Dance	*Vallëzim*
Music	*Muzikë*
Tradition	*Traditë*
Costume	*Kostum*
Food	*Ushqim*
Craft	*Zanat*
Parade	*Paradë*
Exhibit	*Ekspozitë*
Celebration	*Festim*
Performance	*Performancë*
Art	*Art*
Booth	*Stendë*
Heritage	*Trashëgimi*

Questions About the Story

1. *What prompted Tom and Lisa to pack for their adventure?*

    a) A hiking trip in the mountains
    b) A beach vacation
    c) A skiing holiday

2. *What did Tom and Lisa bring with them for the hike?*

    a) Sunscreen and a surfboard
    b) A map and a compass
    c) Ski equipment

3. *Where did Tom and Lisa decide to camp during their hike?*

    a) At the summit
    b) In a dense forest
    c) Near a beautiful valley

4. *What was the view like from the summit?*

    a) Cloudy and obscured
    b) Breathtaking
    c) No view, it was too dark

5. *What did Tom and Lisa do at the summit?*

    a) Set up their tent
    b) Took photos
    c) Went fishing

Correct Answers:

1. a) A hiking trip in the mountains
2. b) A map and a compass
3. c) Near a beautiful valley
4. b) Breathtaking
5. b) Took photos

- Chapter Forty-Two -
A DAY WITHOUT ELECTRICITY

Një Ditë Pa Elektricitet

Një mbrëmje, një ndërprerje e energjisë elektrike lë qytetin në terr. Emma dhe familja e saj gjenden pa elektricitet. Ata ndezin qirinj dhe mblidhen në dhomën e ndenjes, një llambë dore hedh hije në mure.

Qetësia pa zhurmat e zakonshme të elektronikës është e çuditshme por paqësore. Ata vendosin të luajnë lojëra me tavolinë në dritën e qirinjve, duke qeshur dhe duke shijuar shoqërinë e njëri-tjetrit në një mënyrë që nuk e kishin bërë prej kohësh.

Emma lexon një libër nën dritën e një llambë, historia bëhet më tërheqëse në dritën e dridhur. Jashtë, yjet shkëlqejnë më ndritshëm pa dritat e qytetit, dhe familja del për të shikuar qiellin e natës, duke mahnitur bukurinë e yjeve.

Nata pa elektricitet i afron më shumë anëtarët e familjes, duke i kujtuar atyre gëzimin në gjërat e thjeshta dhe bukurinë e ngadalësimit.

Vocabulary

Electricity	Elektricitet
Candle	Qiri
Dark	Errësirë
Light	Dritë
Battery	Bateri
Flashlight	Llambë dore
Quiet	Qetësi
Read	Lexoj
Board game	Lojë me tavolinë
Night	Natë
Family	Familje
Talk	Bisedoj
Fire	Zjarr
Lantern	Llambë
Stars	Yje

Questions About the Story

1. *What event leads to the family spending time together without electricity?*

    a) A city-wide celebration
    b) A power outage
    c) A decision to unplug for the day

2. *What do Emma and her family use for light during the power outage?*

    a) Electric lamps
    b) Candles and a flashlight
    c) The light from their phones

3. *How does the family spend their time during the power outage?*

    a) Watching television
    b) Playing board games
    c) Sleeping early

4. *What does Emma do by the light of a lantern?*

    a) Cooks dinner
    b) Reads a book
    c) Plays a musical instrument

5. *What natural phenomenon is more visible due to the power outage?*

    a) Rainbows
    b) The stars
    c) Northern lights

Correct Answers:

1. b) A power outage
2. b) Candles and a flashlight
3. b) Playing board games
4. b) Reads a book
5. b) The stars

- Chapter Forty-Three -
THE BIG GAME

Ndeshja e Madhe

Ekipi lokal i futbollit ka arritur në kampionat, dhe gjithë qyteti është në ekstazë. Sot është ndeshja e madhe, dhe të gjithë mblidhen në fushë, të veshur me ngjyrat e ekipit dhe të gatshëm për të inkurajuar.

Tomi, ylli i ekipit, ndjen peshën e pritshmërive por është i vendosur për të fituar. Trajneri jep një fjalim motivues, duke i kujtuar ekipit punën e tyre të vështirë dhe përkushtimin.

Ndërsa ndeshja fillon, turma inkurajon me zë të lartë. Konkurrenca është e ashpër, por Tomi arrin të shënojë gol fitues në minutat e fundit. Stadiumi shpërthen në gëzim ndërsa ekipi feston fitoren e tyre.

Pas ndeshjes, ekipi falënderon tifozët për mbështetjen e tyre. Ndeshja e madhe nuk ishte vetëm një fitore për ekipin, por një festë e frymës komunitare dhe bashkëpunimit.

Vocabulary

Game	Ndeshje
Team	Ekip
Score	Shënoj
Win	Fitore
Lose	Humbje
Player	Lojtar
Coach	Trajner
Field	Fushë
Cheer	Inkurajoj
Uniform	Uniformë
Ball	Top
Goal	Gol
Match	Ndeshje
Referee	Gjyqtar
Competition	Konkurs

Questions About the Story

1. *What event is the town excited about?*

   a) A local festival
   b) The championship football game
   c) A concert

2. *Who is the star player of the team?*

   a) The coach
   b) Tom
   c) The goalkeeper

3. *What did the coach do before the game started?*

   a) Gave a motivational speech
   b) Scored a goal
   c) Left the stadium

4. *How did the crowd react as the game started?*

   a) They were silent
   b) They booed
   c) They cheered loudly

5. *What was the outcome of the game?*

   a) The team lost
   b) The team won
   c) The game was canceled

Correct Answers:

1. b) The championship football game
2. b) Tom
3. a) Gave a motivational speech
4. c) They cheered loudly
5. b) The team won

- Chapter Forty-Four -
A MYSTERY GUEST

I ftuari Misterioz

Në festën vjetore të Annës, ka një zhurmë rreth një të ftuari misterioz. Anna dërgon ftesat me një të dhënë: "Këtë vit, një mysafir i papritur do të bëjë mbrëmjen tonë të paharrueshme." Të gjithë janë të emocionuar dhe fillojnë të supozojnë se kush mund të jetë.

Mbrëmjen e festës, mysafirët vijnë, të mbushur me spekulime dhe pëshpëritje rreth të ftuarit misterioz. Shtëpia është plot jetë, me të qeshura dhe muzikë. Anna shijon emocionin por mban sekretin mirë të fshehur.

Në mes të festës, Anna mblidh të gjithë. "Është koha të zbulojmë të ftuarin tonë misterioz!" shpall ajo. Dhoma bëhet heshtje në pritje. Pastaj, nga një dhomë tjetër, del i ftuari misterioz—është një muzikant i famshëm lokal, një mik i Annës që kishte qenë në turne jashtë vendit.

Mysafirët janë të tronditur, duke duartrokitur dhe bërtitur. Muzikanti performon disa këngë, duke bërë mbrëmjen vërtet të paharrueshme. I ftuari misterioz ishte kulmi i festës, dhe të gjithë falënderojnë Annën për një surprizë kaq të mrekullueshme.

Vocabulary

Guest	*Mysafir*
Mystery	*Mister*
Invite	*Ftoj*
Party	*Festë*
Surprise	*Suprizë*
Guess	*Supozoj*
Reveal	*Zbuloj*
Host	*Pritës*
Evening	*Mbrëmje*
Secret	*Sekret*
Clue	*Të dhënë*
Discover	*Zbuloj*
Whisper	*Pëshpërit*
Excitement	*Emocion*
Unveil	*Zbuloj*

Questions About the Story

1. *What was the occasion at Anna's house?*

   a) A birthday party
   b) An annual party
   c) A wedding celebration

2. *What clue did Anna provide about the surprise guest in the invites?*

   a) "A famous actor will join us."
   b) "This year, a surprise guest will make our evening
      unforgettable."
   c) "Guess who's coming to dinner."

3. *How did the guests react to the anticipation of the mystery guest?*

   a) They were indifferent
   b) They were excited and guessing
   c) They were confused

4. *Who was the mystery guest?*

   a) A famous author
   b) A local teacher
   c) A famous local musician

5. *What did the mystery guest do at the party?*

   a) Gave a speech
   b) Performed a few songs
   c) Cooked for the guests

Correct Answers:

1. b) An annual party
2. b) "This year, a surprise guest will make our evening unforgettable."
3. b) They were excited and guessing
4. c) A famous local musician
5. b) Performed a few songs

- Chapter Forty-Five -
THE CHARITY EVENT

Ngjarja Bamatore

Qendra komunitare organizon një ngjarje bamirëse për të mbështetur një shkak lokal. Të gjithë janë të ftuar të marrin pjesë, të dhurojnë dhe të ndihmojnë për të bërë ndryshimin. Ngjarja përfshin një ankand, ku artikujt e dhuruar nga anëtarët e komunitetit janë në ofertë.

Sara vullnetarizon në ngjarje, duke ndihmuar në organizimin e artikujve të ankandit dhe mirëpritjen e mysafirëve. Ajo ndihet e prekur nga bujaria e njerëzve që bashkohen për të mbështetur shkakun.

Ndërsa ankandi fillon, qendra komunitare mbushet me ofertues të etur. Çdo artikull i ankanduar sjell më shumë para për shkakun, dhe Sara ndjen krenari dhe gëzim për përpjekjet e komunitetit të saj.

Ngjarja është një sukses, duke mbledhur fonde të konsiderueshme. Mbështetja dhe bujaria e komunitetit tejkalojnë pritshmëritë, dhe organizatorët falënderojnë të gjithë për kontributet dhe frymën e dhënies.

Vocabulary

Charity	*Bamirësi*
Event	*Ngjarje*
Donate	*Dhuroj*
Fundraise	*Mbledh fonde*
Volunteer	*Vullnetarizoj*
Help	*Ndihmoj*
Cause	*Shkak*
Support	*Mbështes*
Money	*Para*
Auction	*Ankand*
Community	*Komunitet*
Generosity	*Bujari*
Benefit	*Përfitim*
Organize	*Organizoj*
Contribution	*Kontribut*

Questions About the Story

1. *What type of event does the community center organize?*

   a) A music concert
   b) A charity event
   c) A sports tournament

2. *What is included in the charity event?*

   a) A fashion show
   b) An auction
   c) A cooking competition

3. *What role does Sarah play at the event?*

   a) Auctioneer
   b) Performer
   c) Volunteer

4. *What does Sarah feel about the community's effort?*

   a) Disappointed
   b) Indifferent
   c) Proud and joyful

5. *What does the auction contribute to?*

   a) Raising funds for a local cause
   b) Celebrating the community's anniversary
   c) Funding the community center's renovation

Correct Answers:

1. b) A charity event
2. b) An auction
3. c) Volunteer
4. c) Proud and joyful
5. a) Raising funds for a local cause

- Chapter Forty-Six -
LEARNING TO SKATE

Mësimi për Patinazhin

Emily vendos të mësojë patinazh mbi akull dhe regjistrohet për mësime në pistën lokale. Në ditën e saj të parë, ajo është e emocionuar por edhe e trembur. Ajo vë patinat, hyn në akull dhe menjëherë ndihet e pasigurt.

Trajneri i saj, Z. Jones, e inkurajon të vazhdojë të provojë. "Ekuilibri është çelësi," thotë ai. Emily stërvitet të lëvizë dhe të kthehet, duke ndjerë gradualisht më shumë besim mbi akull. Ajo bie disa herë por e qesh dhe ngrihet përsëri.

Me çdo mësim, aftësitë e Emily-s përmirësohen. Ajo mëson të patinojë më shpejt dhe me më shumë lëvizshmëri. Frika e saj nga rënia zvogëlohet ndërsa bëhet më e rehatshme mbi akull.

Në fund të sezonit, Emily mund të patinojë me hir rreth pistës. Ajo është mirënjohëse për durimin dhe udhëzimin e Z. Jones. Mësimi i patinazhit i ka mësuar jo vetëm për ekuilibrin mbi akull, por edhe për përkushtimin dhe tejkalimin e frikës.

Vocabulary

Skate	Patinoj
Ice	Akull
Rink	Pista
Balance	Ekuilibër
Fall	Bie
Helmet	Kaskë
Glide	Lëviz
Coach	Trajner
Practice	Stërvitem
Boots	Çizme
Turn	Kthehem
Learn	Mësoj
Speed	Shpejtësi
Safety	Siguri
Lesson	Mësim

Questions About the Story

1. *Why did Emily decide to take ice skating lessons?*

    a) She wanted to become a professional skater
    b) She was looking for a new hobby
    c) She wanted to learn something challenging

2. *How did Emily feel when she first stepped onto the ice?*

    a) Confident and ready
    b) Nervous and excited
    c) Disappointed and scared

3. *What key advice did Mr. Jones give to Emily?*

    a) Speed is everything
    b) Balance is key
    c) Practice makes perfect

4. *What was Emily's reaction to falling on the ice?*

    a) She gave up immediately
    b) She cried and felt embarrassed
    c) She laughed it off and got back up

5. *How did Emily's skills change over the course of her lessons?*

    a) They deteriorated due to lack of practice
    b) They slightly improved but not significantly
    c) She learned to skate faster and with more agility

Correct Answers:

1. c) She wanted to learn something challenging
2. b) Nervous and excited
3. b) Balance is key
4. c) She laughed it off and got back up
5. c) She learned to skate faster and with more agility

- Chapter Forty-Seven -
A HISTORICAL TOUR

Një Tur Historik

Tomi dhe Sara vendosin të bashkohen me një tur historik të qytetit të tyre. Ata takojnë udhëheqësin e tyre, Z. Lee, në hyrje të muzeut. "Sot do të eksplorojmë historinë e pasur të qytetit tonë," shpall Z. Lee.

Ndalesa e tyre e parë është një kështjellë madhështore nga shekulli i 12-të. "Kjo kështjellë ka dëshmuar shumë ngjarje të rëndësishme," shpjegon Z. Lee. Tomi dhe Sara janë të magjepsur nga arkitektura e lashtë dhe historitë e së kaluarës.

Më pas, ata vizitojnë rrënojat e një monumenti të vjetër. Z. Lee ndan tregime për njerëzit që dikur jetonin aty. Tomi dhe Sara ndihen sikur po udhëtojnë mbrapsht në kohë.

Turi përfundon në muze, ku ata shohin artifakte dhe ekspozita rreth kulturës dhe trashëgimisë së qytetit. Ata mësojnë rreth mjeteve të lashta, veshjeve dhe artit që kanë formuar historinë e qytetit të tyre.

Tomi dhe Sara largohen nga turi të ndriçuar dhe mirënjohës për mundësinë për të zbuluar të kaluarën e qytetit të tyre. Ata planifikojnë të eksplorojnë më shumë vende historike së bashku.

Vocabulary

Historical	*Historik*
Tour	*Tur*
Monument	*Monument*
Guide	*Udhëheqës*
Century	*Shekull*
Castle	*Kështjellë*
Museum	*Muze*
Artifact	*Artifakt*
Explore	*Eksploroj*
Ruins	*Rrënojat*
Discover	*Zbuloj*
Ancient	*I lashtë*
Exhibition	*Ekspozitë*
Culture	*Kulturë*
Heritage	*Trashëgimi*

Questions About the Story

1. *Who leads the historical tour Tom and Sara join?*

    a) Mr. Lee
    b) A museum curator
    c) A history professor

2. *What is the first historical site Tom and Sara visit on their tour?*

    a) A medieval village
    b) An ancient monument
    c) A grand castle from the 12th century

3. *What do Tom and Sara feel as they explore the castle?*

    a) Boredom
    b) Confusion
    c) Fascination and wonder

4. *Where does the tour end?*

    a) At the city hall
    b) Back at the museum
    c) In the city square

5. *What do Tom and Sara learn about at the museum?*

    a) Modern art
    b) The city's future plans
    c) The city's culture and heritage

Correct Answers:

1. a) Mr. Lee
2. c) A grand castle from the 12th century
3. c) Fascination and wonder
4. b) Back at the museum
5. c) The city's culture and heritage

- Chapter Forty-Eight -
THE BAKE SALE

Shitja e Ëmbëlsirave

Lisa dhe miqtë e saj organizojnë një shitje ëmbëlsirash në shkollën e tyre për të mbledhur para për një strehë lokale për kafshë. Ata kalojnë tërë ditën para duke pjekur torte, biskota dhe byrekë.

Në ditën e shitjes, Lisa vendos një tavolinë me të gjitha ëmbëlsirat e shijshme. "Gjithçka mban erë kaq të mirë," mendon ajo, me shpresën që shumë njerëz të blejnë produktet e tyre të pjekura.

Shitja është një sukses! Njerëzve u pëlqejnë biskotat e ëmbla dhe tortat e buta. Lisa dhe miqtë e saj përziejnë përbërës të ndryshëm për të krijuar shije unike, të cilat bëhen të preferuarat.

Në fund të ditës, pothuajse të gjitha janë shitur. Lisa numëron paratë dhe është e entuziazmuar të shohë sa kanë mbledhur për strehën e kafshëve. "Kjo nismë për mbledhje fondesh ishte një ide e shkëlqyer," thotë ajo.

Vocabulary

Bake	*Pjek*
Sale	*Shitje*
Cake	*Tortë*
Cookie	*Biskotë*
Oven	*Furrë*
Dough	*Brumë*
Mix	*Përziej*
Recipe	*Recetë*
Ingredient	*Përbërës*
Sweet	*Ëmbël*
Pie	*Byrek*
Fundraiser	*Nismë për mbledhje fondesh*
Delicious	*E shijshme*
Sugar	*Sheqer*
Flour	*Miell*

Questions About the Story

1. *What was the purpose of the bake sale organized by Lisa and her friends?*

    a) To fund a school trip
    b) To support a local animal shelter
    c) To buy new sports equipment for the school

2. *What items did Lisa and her friends bake for the sale?*

    a) Cakes, cookies, and pies
    b) Sandwiches and salads
    c) Vegan and gluten-free snacks

3. *What was Lisa's hope for the bake sale?*

    a) To sell out everything by noon
    b) To raise enough money for a new animal shelter
    c) That many people would buy their baked goods

4. *How did the community respond to the bake sale?*

    a) They ignored the sale
    b) They complained about the prices
    c) They loved the sweet cookies and the fluffy cakes

5. *What unique approach did Lisa and her friends take for their baked goods?*

    a) Using family recipes
    b) Mixing different ingredients to create unique flavors
    c) Baking everything with organic ingredients

Correct Answers:

1. b) To support a local animal shelter
2. a) Cakes, cookies, and pies
3. c) That many people would buy their baked goods
4. c) They loved the sweet cookies and the fluffy cakes
5. b) Mixing different ingredients to create unique flavors

- Chapter Forty-Nine -
THE TALENT SHOW

Spektakli i Talenteve

Qendra lokale komunitare organizon një spektakël talentesh ku të gjithë ftohen të performojnë. Emma vendos të këndojë, dhe vëllai i saj Jake do të performojë një akt magjie.

Skena është e përgatitur, dhe audiencës i zë emocioni për të parë performancat. Emma është e nervozuar por edhe e emocionuar. Kur i vjen radha, ajo këndon bukur dhe audiencës duartroket me zë të lartë.

Jake vijon me truket e tij magjike, duke bërë që një lepur të zhduket dhe më pas të rishfaqet. Turma është e mahnitur dhe i jep atij një duartrokitje të madhe.

Gjyqtarët kanë vështirësi të vendosin, por në fund ata ndajnë çmime për talentet më të spikatura. Emma dhe Jake nuk fitojnë, por janë të lumtur që kanë performuar.

Spektakli i talenteve bashkon komunitetin, duke festuar talentet e ndryshme mes tyre. Emma dhe Jake presin me padurim të marrin pjesë sërish vitin tjetër.

Vocabulary

Talent	*Talent*
Show	*Spektakël*
Perform	*Performoj*
Stage	*Skenë*
Audience	*Audiencë*
Judge	*Gjyqtar*
Act	*Akt*
Sing	*Këndoj*
Dance	*Vallëzoj*
Magic	*Magji*
Award	*Çmim*
Applause	*Duartrokitje*
Contestant	*Konkurrent*
Juggle	*Xhongloj*
Performer	*Performues*

Questions About the Story

1. *What event do Emma and Jake participate in?*

   a) A bake sale
   b) A talent show
   c) A school play

2. *What talent does Emma showcase at the talent show?*

   a) Dancing
   b) Singing
   c) Magic tricks

3. *What does Jake perform in the talent show?*

   a) A dance
   b) A song
   c) A magic act

4. *How does the audience react to Emma's performance?*

   a) They leave the room
   b) They boo
   c) They applaud loudly

5. *What magic trick does Jake perform?*

   a) Pulling a hat out of a rabbit
   b) Making a rabbit disappear and reappear
   c) Levitating

Correct Answers:

1. b) A talent show
2. b) Singing
3. c) A magic act
4. c) They applaud loudly
5. b) Making a rabbit disappear and reappear

- Chapter Fifty -
A DAY WITH GRANDPARENTS

Një Ditë me Gjyshërit

Anna viziton gjyshërit e saj për një ditë. Ata jetojnë në një shtëpi me një kopsht të madh. "Kemi planifikuar një ditë të veçantë," thotë gjyshja e saj me një buzëqeshje.

Së pari, ata piqen biskota së bashku. Gjyshja e Annës i mëson si të përziejë brumin. "Pjekja është një traditë në familjen tonë," shpjegon ajo. Ata shijojnë biskotat e ngrohta me drekën.

Pas drekës, shkojnë në kopsht. Gjyshi i Annës i tregon asaj si të mbjellë fara. "Kopshtet janë si familjet; rriten me dashuri dhe kujdes," thotë ai.

Ata kalojnë pasditen duke shikuar fotografi të vjetra familjare. "Këto kujtime janë të çmuara," thotë gjyshja e saj, duke e përqafuar Annën.

Para se të largohet, Anna përqafon gjyshërit. "Sot ishte e mrekullueshme. Faleminderit që më mësuat kaq shumë," thotë ajo. Ata buzëqeshin, të lumtur që ndanë urtësinë dhe dashurinë e tyre.

Vocabulary

Grandparents	*Gjyshërit*
Story	*Histori*
Bake	*Pjek*
Garden	*Kopsht*
Teach	*Mësoj*
Memory	*Kujtim*
Love	*Dashuri*
Old	*I vjetër*
Wisdom	*Urtësi*
Photo	*Foto*
Lunch	*Dreke*
Hug	*Përqafim*
Family	*Familje*
Tradition	*Traditë*
Smile	*Buzëqeshje*

Questions About the Story

1. *What activity did Anna and her grandparents start with?*

   a) Planting seeds
   b) Baking cookies
   c) Looking at old family photos

2. *What metaphor did Anna's grandpa use to describe gardens?*

   a) Gardens need sunlight to grow
   b) Gardens are like families; they grow with love and care
   c) Gardens are full of surprises

3. *What did Anna and her grandparents enjoy after baking?*

   a) They went for a walk in the garden
   b) They had lunch and enjoyed the warm cookies
   c) They started planting seeds immediately

4. *What did Anna learn from her grandparents?*

   a) How to bake cookies and plant seeds
   b) The history of their family
   c) Both A and B

5. *What was the special day planned by Anna's grandparents?*

   a) A baking day
   b) A gardening day
   c) A day full of family activities

Correct Answers:

1. b) Baking cookies
2. b) Gardens are like families; they grow with love and care
3. b) They had lunch and enjoyed the warm cookies
4. c) Both A and B
5. c) A day full of family activities

- Chapter Fifty-One -
THE PUZZLE CHALLENGE

Sfida e Puzzle-it

Në shkollë, znj. Clark njofton një sfidë me puzzle. "Kjo do të testojë logjikën dhe bashkëpunimin tuaj," thotë ajo. Klasa është e emocionuar.

Çdo ekip merr një puzzle me shumë copë. "Le të mendojmë me kujdes dhe të punojmë së bashku," thotë Leo, lideri i ekipit. Ata fillojnë të zgjidhin puzzle-in, duke përpoqur të bashkojnë copët.

Në mes të sfidës, ata ngelen të bllokuar. "Na duhet të gjejmë copën që mungon," thotë Mia, duke shikuar rreth e rrotull. Pas një momenti mendimi, ata gjejnë të dhënën që i çon në zgjidhjen e duhur.

Në fund, ekipi i tyre është i pari që përfundon puzzle-in. "Punë e shkëlqyer, të gjithë! Bashkëpunimi dhe logjika juaj ishin impresionuese," i lavdëron znj. Clark.

Sfida e puzzle-it nuk ishte vetëm një lojë, por një mësim në punën në grup dhe zgjidhjen e problemeve.

Vocabulary

Puzzle	*Puzzle*
Challenge	*Sfidë*
Solve	*Zgjidh*
Piece	*Copë*
Think	*Mendoj*
Brain	*Tru*
Game	*Lojë*
Clue	*Të dhënë*
Mystery	*Mister*
Team	*Ekip*
Logic	*Logjikë*
Answer	*Përgjigje*
Question	*Pyetje*
Riddle	*Enigmë*
Compete	*Konkuroj*

Questions About the Story

1. *Who announces the puzzle challenge in school?*

    a) Mr. Lee
    b) Mrs. Clark
    c) Mia

2. *What is Leo's role in the team?*

    a) The team leader
    b) The class president
    c) The puzzle master

3. *What does Mia say when the team gets stuck?*

    a) "Let's give up."
    b) "We need to find the missing piece."
    c) "This is too hard."

4. *What was the key to completing the puzzle?*

    a) Cheating
    b) Asking the teacher for help
    c) Finding a missing piece

5. *How did Mrs. Clark praise the team?*

    a) "Your teamwork and logic were impressive."
    b) "You should have done better."
    c) "You were the slowest."

Correct Answers:

1. b) Mrs. Clark
2. a) The team leader
3. b) "We need to find the missing piece."
4. c) Finding a missing piece
5. a) "Your teamwork and logic were impressive."

- Chapter Fifty-Two -
A CAMPING MYSTERY

Misteri i Kampit

Gjatë një udhëtimi me kamping, Mike dhe miqtë e tij dëgjojnë zhurma të çuditshme gjatë natës. "E dëgjove atë?" pyet Mike, teksa rrinë rreth zjarrit të kampit.

Të kureshtur, ata vendosin të hetojnë me llambat e tyre. "Duket se vjen nga ajo drejtim," thotë Sara, duke treguar pyllin e errët.

Ndërsa ndjekin zhurmën, ata gjejnë gjurmë në tokë. "Duket si gjurmë kafshësh," vëren Mike. Misteri thellohet.

Papritur, ata shohin një hije që lëviz. Ata përgatiten për diçka të frikshme, por zbulojnë që është vetëm një qen i humbur. "Ai duhet të bëjë zhurmët," thotë Sara, e lehtësuar.

Ata kthehen në çadrën e tyre, duke marrë qenin me vete. "Ky udhëtim me kamping u kthye në një aventurë të papritur," thotë Mike, ndërsa të gjithë qeshin dhe shijojnë pjesën tjetër të natës së tyre në siguri pranë zjarrit.

Vocabulary

Camping	Kampingu
Mystery	Misteri
Tent	Çadra
Night	Nata
Forest	Pylli
Flashlight	Llamba dore
Noise	Zhurma
Fire	Zjarri
Scary	Frikshëm
Track	Gjurmë
Dark	Errësirë
Campfire	Zjarri i kampit
Investigate	Hetoj
Shadow	Hija
Scream	Britmë

Questions About the Story

1. **What do Mike and his friends hear at night during their camping trip?**

   a) Strange noises
   b) Music
   c) Thunder

2. **What do Mike and his friends use to investigate the strange noises?**

   a) Flashlights
   b) Mobile phones
   c) Lanterns

3. **Where do the strange noises seem to be coming from?**

   a) The lake
   b) Another campsite
   c) The dark forest

4. **What do Mike and his friends find on the ground that adds to the mystery?**

   a) A map
   b) Animal tracks
   c) A lost item

5. **What do Mike and his friends discover as the source of the noises?**

   a) A ghost
   b) A lost dog
   c) An owl

Correct Answers:

1. a) Strange noises
2. a) Flashlights
3. c) The dark forest
4. b) Animal tracks
5. b) A lost dog

- Chapter Fifty-Three -
DISCOVERING A NEW HOBBY

Zbulimi i një Hobbi të Ri

Emma ndihej e mërzitur me rutinën e saj të zakonshme të fundjavës. Një ditë, ajo vendosi të eksplorojë diçka të re për të ndezur interesin e saj. "Më duhet një hobi," mendoi ajo.

Ajo filloi me pikturën, duke përpiqur të krijojë pjesë arti të thjeshta. Edhe pse përpjekjet e saj të para nuk ishin perfekte, ajo shijoi shumë procesin. "Kjo është argëtuese," kuptoi Emma, ndërsa përzieu ngjyrat dhe pa idetë e saj që merrnin jetë në kanavacë.

Më pas, Emma provoi të merrej me artizanat. Ajo gjeti kënaqësi në bërjen e artikujve dekorativë të vegjël për shtëpinë e saj. Çdo artizanat i përfunduar i dha ndjesinë e arritjes.

Kurioziteti i saj u rrit, duke e çuar atë të eksplorojë fotografinë. Emma kaloi orë të tëra duke kapur bukurinë e natyrës me kamerën e saj. "Ka kaq shumë për të parë dhe mësuar," habitet ajo, duke rishikuar fotot e saj.

Udhëtimi i Emmës në zbulimin e hobive të reja jo vetëm që i solli emocion, por edhe aftësi të reja dhe një vlerësim më të thellë për krijimtarinë. "Jam e lumtur që vendosa të provoj diçka ndryshe," reflekton ajo, duke planifikuar aventurën e saj të ardhshme të hobeve.

Vocabulary

Hobby	*Hobbi*
Discover	*Zbuloj*
Interest	*Interes*
Learn	*Mësoj*
Practice	*Stërvitem*
Skill	*Aftësi*
Fun	*Argëtim*
Activity	*Aktivitet*
Craft	*Artizanat*
Paint	*Pikturoj*
Collection	*Koleksion*
Music	*Muzikë*
Book	*Libër*
Photography	*Fotografi*
Drawing	*Vizatim*

Questions About the Story

1. *What motivates Emma to find a new hobby?*

    a) She felt bored with her usual weekend routine
    b) She wanted to join her friends
    c) She needed to complete a school project

2. *Which of the following is NOT a hobby that Emma tried?*

    a) Painting
    b) Photography
    c) Gardening

3. *How does Emma feel about her first attempts at painting?*

    a) Disappointed
    b) Indifferent
    c) Enjoyed the process immensely

4. *What realization does Emma have while engaging in her new hobbies?*

    a) She prefers outdoor activities
    b) She enjoys the process of learning and creating
    c) She wants to become a professional artist

5. *Which hobby did Emma explore last?*

    a) Painting
    b) Crafting
    c) Photography

Correct Answers:

1. a) She felt bored with her usual weekend routine
2. c) Gardening
3. c) Enjoyed the process immensely
4. b) She enjoys the process of learning and creating
5. c) Photography

- Chapter Fifty-Four -
THE FRIENDLY COMPETITION

Gara Miqësore

Në shkollë, dita sportive vjetore ishte një ngjarje e mbushur me emocion dhe garë miqësore. Alex dhe Jamie, dy miq të mirë, u regjistruan për garën e stafetës.

"Le të fitojë ekipi më i mirë," i thanë njëri-tjetrit me një buzëqeshje, duke u përshëndetur përpara garës. Ekipet e tyre ishin gati, dhe atmosfera ishte elektrike me pritshmëri.

Ndërsa gara fillonte, duartrokitjet mbushnin ajrin. Alex dhe Jamie vraponin me të gjithë fuqinë e tyre, duke kaluar shkopin me lëvizje të qetë. Gara ishte e ngushtë, por në fund, ekipi i Alex-it fitoi me një fraksion sekonde.

Pavarësisht humbjes, Jamie nuk ishte i mërzitur. "Ishte një garë e shkëlqyer," e uroi Alex-in Jamie, "Ekipi yt ishte i jashtëzakonshëm sot!"

Të dy u pajtuan se fitimi ishte argëtues, por pjesëmarrja dhe shijimi i lojës me miqtë ishte ajo që kishte vërtet rëndësi. Miqësia e tyre mbeti e fortë, e lidhur nga fryma e garës së shëndetshme.

Vocabulary

Competition	Garë
Friendly	Miqësore
Win	Fitore
Lose	Humbje
Prize	Çmim
Race	Garë
Team	Ekip
Sport	Sport
Play	Luaj
Challenge	Sfidë
Score	Shënoj
Match	Ndeshje
Fun	Argëtim
Opponent	Kundërshtar
Cheer	Inkurajoj

Questions About the Story

1. *What event brings Alex and Jamie to compete?*

   a) A science fair
   b) A relay race
   c) A chess tournament

2. *What was Alex and Jamie's attitude before the race?*

   a) Competitive
   b) Indifferent
   c) Supportive

3. *How did Alex and Jamie prepare for the race?*

   a) By studying
   b) By training
   c) By strategizing with their team

4. *What was the outcome of the relay race?*

   a) Jamie's team won
   b) Alex's team won
   c) It was a tie

5. *How did Jamie react to losing the race?*

   a) With disappointment
   b) With joy
   c) With sportsmanship

Correct Answers:

1. b) A relay race
2. c) Supportive
3. c) By strategizing with their team
4. b) Alex's team won
5. c) With sportsmanship

- Chapter Fifty-Five -
A VISIT TO THE GRAND CANYON

Vizitë në Grand Canyon

Lucas kishte ëndërruar gjithmonë të shihte Grand Canyon. Një verë, ai më në fund bëri udhëtimin. "Kjo do të jetë një aventurë," mendoi ai, duke mbushur çantën e tij.

Ndërsa qëndronte në skaj të kanionit, Lucas ishte i mahnitur nga peizazhi i gjerë para tij. Pamja e kanionit të thellë, me shtresat e tij të shkëmbinjve të ngjyrës, i mori frymën. "Është më e bukur se sa e imagjinoja," i pëshpëriti vetes.

Ai kaloi ditën duke ecur nëpër shtigje, duke u mahnitur nga pamjet mahnitëse dhe bukuria e qetë e natyrës. Lucas mori shumë foto, duke përpiqur të kapte madhështinë e kanionit.

Në lindjen e diellit, ai shikoi ndërsa kanioni ngadalë ndriçohej nga drita e mëngjesit, duke krijuar një skenë mahnitëse. "Ky moment e bën të gjithë udhëtimin të vlejë," ndjeu Lucas një lidhje të thellë me natyrën.

Vizita e tij në Grand Canyon nuk ishte thjesht një shenjë në listën e tij, por një përvojë e paharrueshme që thelloi vlerësimin e tij për botën natyrore.

Vocabulary

Canyon	*Kanion*
Grand	*Madhështor*
Nature	*Natyrë*
Hike	*Ecje*
View	*Pamje*
Rock	*Shkëmb*
River	*Lumë*
Park	*Park*
Explore	*Eksploroj*
Trail	*Shteg*
Landscape	*Peizazh*
Adventure	*Aventurë*
Guide	*Udhëzues*
Cliff	*Shkëmbinj*
Sunrise	*Lindja e diellit*

Questions About the Story

1. *What inspired Lucas to make the trip?*

    a) A documentary
    b) A friend's suggestion
    c) A lifelong dream

2. *What was Lucas's reaction upon seeing the Grand Canyon?*

    a) He was slightly disappointed
    b) He was in awe
    c) He was indifferent

3. *What did Lucas do to try and capture the beauty of the Grand Canyon?*

    a) He wrote a poem
    b) He took many photos
    c) He painted a picture

4. *What time of day did Lucas find most breathtaking at the Grand Canyon?*

    a) Sunset
    b) Midday
    c) Sunrise

5. *How did Lucas feel about his trip to the Grand Canyon?*

    a) It was just another trip
    b) It was a disappointment
    c) It was a memorable experience

Correct Answers:

1. c) A lifelong dream
2. b) He was in awe
3. b) He took many photos
4. c) Sunrise
5. c) It was a memorable experience

- Chapter Fifty-Six -
THE HOMEMADE GIFT

Dhurata e Bërë në Shtëpi

Për ditëlindjen e Annës, shoqja e saj Maria vendosi të bëjë një dhuratë të bërë në shtëpi. Maria mendoi, "Dua të krijoj diçka të veçantë për Annën."

Maria donte të bënte punëdore, kështu që zgjodhi të pikturonte një kuti të vogël dhe të qepë një qese të vogël. Ajo rregulloi një shall të ngjyrshëm, duke e dizajnuar me Annën në mendje. "Annës do t'i pëlqejë këto," qeshi Maria, duke imagjinuar surprizën e shoqes së saj.

Pas përfundimit të punëdoreve, Maria i mbështolli dhuratat me kujdes. Ajo përdori një shirit të ndritshëm për të lidhur paketën dhe shtoi një kartolinë të bërë me dorë, duke shkruar, "Me dashuri dhe mendim."

Kur Anna hapi dhuratën, sytë e saj ndritën me gëzim. "Kjo është shumë e veçantë! Faleminderit, Maria," tha ajo, duke e përqafuar shoqen. Dhurata e bërë në shtëpi nga Maria bëri ditëlindjen e Annës të paharrueshme.

Vocabulary

Gift	Dhuratë
Homemade	E bërë në shtëpi
Craft	Punëdore
Surprise	Surprizë
Create	Krijoj
Paint	Pikturoj
Sew	Qep
Knit	Gërmoj
Design	Dizajnoj
Special	I veçantë
Card	Kartolinë
Wrap	Mbështjell
Ribbon	Shirit
Love	Dashuri
Thoughtful	Mendimtar

Questions About the Story

1. *What occasion is being celebrated in the story?*

    a) Maria's birthday
    b) Anna's birthday
    c) A holiday

2. *What type of gift does Maria decide to give Anna?*

    a) Store-bought jewelry
    b) Homemade crafts
    c) A book

3. *Which of the following items did Maria NOT craft for Anna?*

    a) A painted box
    b) A sewn pouch
    c) A ceramic vase

4. *How did Maria wrap the gift?*

    a) In a plain box
    b) With newspaper
    c) With bright ribbon and a handmade card

5. *What was Maria's intention behind creating the gift?*

    a) To save money
    b) To create something special for Anna
    c) Because she forgot to buy a gift

Correct Answers:

1. b) Anna's birthday
2. b) Homemade crafts
3. c) A ceramic vase
4. c) With bright ribbon and a handmade card
5. b) To create something special for Anna

- Chapter Fifty-Seven -
A SPECIAL DAY OUT

Një Ditë e Veçantë Jashtë

Liami dhe familja e tij vendosin të kalojnë një ditë në parkun e argëtimit. "Kjo do të jetë shumë argëtuese!" tha Liami, duke mbajtur biletën e tij ngushtë.

Ndalimi i tyre i parë ishte treni i tmerrit. Liami ndjeu një përzierje emocionesh dhe nervozizmi ndërsa rreshtoheshin. "Ja ku jemi!" bërtiti ai ndërsa treni nisej me shpejtësi.

Gjatë ditës, ata provuan lojëra të ndryshme, qeshën dhe shijuan akullore. Pjesa e preferuar e Liamit ishte shfaqja magjike, ku ai u zgjodh të ndihmonte në skenë. "Ishte e mrekullueshme!" tha ai, ende i emocionuar.

Ata përfunduan ditën me buzëqeshje të lodhura, duke mbajtur suvenire dhe kujtime nga një ditë fantastike jashtë. "Mund të kthehemi së shpejti?" pyeti Liami, duke pritur me padurim vizitën e tyre të ardhshme.

Vocabulary

Outing	*Dalje*
Amusement park	*Park argëtimi*
Roller coaster	*Tren i tmerrit*
Ticket	*Biletë*
Fun	*Argëtim*
Laugh	*Qesh*
Ice cream	*Akullore*
Queue	*Radhë*
Ride	*Lojë*
Souvenir	*Suvenir*
Map	*Hartë*
Show	*Shfaqje*
Snack	*Strehim*
Excited	*I emocionuar*
Tired	*I lodhur*

Questions About the Story

1. *Where did Liam and his family spend their day?*

   a) At the beach
   b) In a museum
   c) At the amusement park

2. *What was Liam's reaction before the roller coaster ride?*

   a) Terrified
   b) Excited and nervous
   c) Bored

3. *What did Liam and his family do throughout the day?*

   a) Went hiking
   b) Visited different rides and enjoyed ice cream
   c) Played sports

4. *What was Liam's favorite part of the day?*

   a) Eating ice cream
   b) The roller coaster
   c) The magic show

5. *How did Liam participate in the magic show?*

   a) By watching
   b) By clapping
   c) By assisting on stage

Correct Answers:

1. c) At the amusement park
2. b) Excited and nervous
3. b) Visited different rides and enjoyed ice cream
4. c) The magic show
5. c) By assisting on stage

- Chapter Fifty-Eight -
THE NEW CLUB

Klubi i Ri

Elena dëgjoi për një klub të ri fotografie në shkollë dhe ishte e etur për t'u bashkuar. "Kjo mund të jetë shumë interesante," mendoi ajo, duke planifikuar të marrë pjesë në takimin e parë.

Në takim, Elena u takua me studentë të tjerë që ndanin interesin e saj për fotografimin. Lideri i klubit diskutoi për aktivitete dhe projekte të ndryshme që mund të ndërmerrnin. "Kam kaq shumë ide," ndau Elena me emocion me grupin.

Së bashku, ata planifikuan ngjarjen e tyre të parë, një ecje fotografike në park gjatë fundjavës. "Do të jetë shumë mirë të mësojmë nga njëri-tjetri," kuptoi Elena, ndërsa ndihej e mirëpritur dhe e frymëzuar.

Të qenit pjesë e klubit të fotografisë jo vetëm që ndihmoi Elenën të bënte miq të rinj, por edhe përmirësoi aftësitë e saj fotografike. Ajo ishte e lumtur që kishte gjetur një grup ku mund të ndiqte pasionin e saj dhe të kontribuonte me idetë e saj.

Vocabulary

Club	*Klub*
Member	*Anëtar*
Meeting	*Takim*
Activity	*Aktivitet*
Join	*Bashkohem*
Interest	*Interes*
Group	*Grup*
Weekly	*Javor*
Event	*Ngjarje*
Organize	*Organizoj*
Leader	*Lider*
Idea	*Ide*
Discuss	*Diskutoj*
Plan	*Planoj*
Welcome	*Mirëpres*

Questions About the Story

1. *Why was Elena eager to join the new photography club at school?*

    a) To meet the club leader
    b) To improve her photography skills
    c) Because she was interested in photography

2. *What did Elena and the other club members plan as their first event?*

    a) A photo exhibition
    b) A weekend photo walk in the park
    c) A photography competition

3. *What was Elena's reaction to meeting other students at the photography club?*

    a) She was intimidated
    b) She was excited and shared many ideas
    c) She decided to leave the club

4. *How did joining the photography club benefit Elena?*

    a) She became the club leader
    b) She made new friends and improved her photography skills
    c) She won a photography award

5. *What was discussed in the first photography club meeting?*

    a) The club's budget
    b) Club uniforms
    c) Various activities and projects

Correct Answers:

1. c) Because she was interested in photography
2. b) A weekend photo walk in the park
3. b) She was excited and shared many ideas
4. b) She made new friends and improved her photography skills
5. c) Various activities and projects

- Chapter Fifty-Nine -
THE COMMUNITY GARDEN

Kopshti Komunitar

Në një qytet të vogël, kishte një kopsht komunitar të bukur ku të gjithë mund të mbanin perime dhe lule. Një ditë me diell, Sara vendosi të vullnetarizojë në kopsht.

"Së pari, do të mbjell disa fara," mendoi Sara, ndërsa gërmonte në dhe. Ajo mbolli karrota dhe domate, duke i ujitur me kujdes. Aty pranë, lulëzuan lule të ndryshme, tërheqëse për flutura dhe zogj, duke bërë kopshtin plot jetë.

Ndërsa javët kalonin, Sara shikonte bimët e saj të rriteshin. Ajo mësoi të hiqte barërat e këqija dhe të përdorte pleh për të pasuruar dheun. "Shikoni të gjitha perimet dhe lulet që ndihmova të rrit," tha ajo me krenari.

Kur erdhi koha e korrjes, Sara dhe vullnetarët e tjerë mblodhën të korrurat e tyre. Ata kishin rritur shumë perime të gjelbërta dhe lule të bukura. "Ky kopsht bashkon komunitetin tonë," qeshi Sara, ndërsa ndihej e lidhur me natyrën dhe fqinjët e saj.

Vocabulary

Garden	*Kopsht*
Plant	*Bimë*
Vegetable	*Perime*
Flower	*Lule*
Community	*Komunitet*
Grow	*Rrit*
Soil	*Dhe*
Water	*Ujë*
Harvest	*Korrim*
Seed	*Farë*
Green	*Gjelbër*
Nature	*Natyrë*
Volunteer	*Vullnetar*
Compost	*Pleh*
Weed	*Bar i keq*

Questions About the Story

1. *What did Sarah decide to volunteer for?*

    a) A community service project
    b) A local farm
    c) A community garden

2. *What type of seeds did Sarah plant?*

    a) Corn and peas
    b) Carrots and tomatoes
    c) Sunflowers and roses

3. *What attracted birds and butterflies to the garden?*

    a) The pond
    b) The colorful flowers
    c) The fruit trees

4. *What did Sarah learn to do in the garden?*

    a) Climb trees
    b) Remove weeds and use compost
    c) Make flower arrangements

5. *What was the result of Sarah and the volunteers' work?*

    a) The garden was closed
    b) They opened a new garden
    c) A lot of vegetables and flowers grew

Correct Answers:

1. c) A community garden
2. b) Carrots and tomatoes
3. b) The colorful flowers
4. b) Remove weeds and use compost
5. c) A lot of vegetables and flowers grew

- Chapter Sixty -
THE SCHOOL NEWSPAPER

Gazeta Shkollore

Tomi ishte redaktor i gazetës së shkollës. Ai ishte gjithmonë në kërkim të lajmeve dhe historive të emocionuara. "Këtë muaj, do të paraqesim intervista me mësuesit tanë të rinj," vendosi Tomi.

Ai dhe ekipi i tij punuan fort për të shkruar artikuj, për të kryer intervista dhe për të marrë fotografi. "Duhet të sigurohemi që gjithçka të jetë gati para afatit," i kujtoi Tomi të gjithëve.

Ditën kur u botua gazeta, Tomi ndihej krenar. Studentët dhe mësuesit po lexonin punën e tyre. "Raporti yt për panairin e shkencës ishte vërtet interesant," i tha një mësues.

Të qenit pjesë e ekipit të gazetës mësoi Tomit dhe miqve të tij rëndësinë e bashkëpunimit dhe komunikimit. Ata ishin të lumtur që ofronin lajme dhe opinione për komunitetin e shkollës së tyre.

Vocabulary

Newspaper	*Gazetë*
Article	*Artikull*
Editor	*Redaktor*
Interview	*Intervistë*
Publish	*Publikoj*
Report	*Raport*
News	*Lajme*
Deadline	*Afat*
Write	*Shkruaj*
Column	*Kolumnë*
Review	*Rishikim*
Photograph	*Fotografi*
Issue	*Botim*
Investigate	*Hetoj*
Opinion	*Opinion*

Questions About the Story

1. *What role did Tom have in the school newspaper?*

   a) Writer
   b) Photographer
   c) Editor

2. *What did Tom's team plan to feature in the newspaper this month?*

   a) Sports events
   b) Interviews with new teachers
   c) Movie reviews

3. *What was Tom's reminder to his team about?*

   a) To interview more teachers
   b) To make sure everything is ready before the deadline
   c) To take more photographs

4. *How did Tom feel on the day the newspaper was published?*

   a) Disappointed
   b) Nervous
   c) Proud

5. *What feedback did Tom receive from a teacher?*

   a) The layout needed improvement
   b) The articles were too short
   c) The report on the science fair was interesting

Correct Answers:

1. c) Editor
2. b) Interviews with new teachers
3. b) To make sure everything is ready before the deadline
4. c) Proud
5. c) The report on the science fair was interesting

- Chapter Sixty-One -
THE TIME CAPSULE

Kapsula Kohore

Klasa e Znj. Green vendosi të krijojë një kapsulë kohore. "Do ta varrosim dhe do ta hapim pas dhjetë vjetësh," shpjegoi ajo. Secili student shkroi një letër për veten e tyre të ardhshme dhe shtoi një thesar të vogël.

Ata gjetën një kuti të fortë dhe vendosën gjithçka brenda. "Tani, le të gjejmë një vend të përsosur për të varrosur kapsulën tonë kohore," tha Znj. Green. Ata zgjodhën një cep të qetë në kopshtin e shkollës.

Vitet kaluan, dhe dita për të hapur kapsulën kohore më në fund erdhi. Të gjithë ishin të emocionuar të shihnin letrat dhe kujtimet e tyre. "Nuk mund ta besoj sa shumë gjëra kanë ndryshuar," tha një student, duke lexuar letrën e tij.

Kapsula kohore ishte një urë midis së shkuarës dhe së ardhmes. Ajo ruajti historinë e tyre dhe tregoi sa shumë kishin rritur. "Kjo ishte një ide e shkëlqyer," ranë dakord të gjithë, të lumtur që rivizituan vetet e tyre të reja.

Vocabulary

Capsule	*Kapsulë*
Time	*Kohë*
Bury	*Varros*
Future	*E ardhme*
Letter	*Letër*
Memory	*Kujtim*
Open	*Hap*
Past	*E shkuar*
Message	*Mesazh*
Discover	*Zbuloj*
Year	*Vit*
Treasure	*Thesar*
Box	*Kutia*
History	*Histori*
Preserve	*Ruaj*

Questions About the Story

1. *What did Mrs. Green's class decide to create?*

   a) A memory book
   b) A documentary film
   c) A time capsule

2. *What was the purpose of the time capsule?*

   a) To win a school competition
   b) To open it in ten years
   c) To hide from the school principal

3. *Where did the class choose to bury the time capsule?*

   a) In the school library
   b) In a quiet corner of the school garden
   c) Under the school's main hall

4. *What did each student add to the time capsule?*

   a) A picture
   b) A letter to their future self and a small treasure
   c) Homework assignments

5. *What did the students feel when they finally opened the time capsule?*

   a) Disappointment
   b) Excitement
   c) Indifference

Correct Answers:

1. c) A time capsule
2. b) To open it in ten years
3. b) In a quiet corner of the school garden
4. b) A letter to their future self and a small treasure
5. b) Excitement

- Chapter Sixty-Two -
A SURPRISE GUEST

Mysafiri i Papritur

Lucy po organizonte një festë të vogël në shtëpinë e saj. Ajo ftoi miqtë dhe familjen të shijonin mbrëmjen. "Shpresoj që të gjithë të argëtohen," mendoi ajo, duke përgatitur darkën.

Papritur, zilja e derës u trokit. "Kush mund të jetë?" mendoi Lucy. Ajo hapi derën dhe gjeti një mysafir të papritur: shoqen e saj Mia, e cila kishte shkuar për të jetuar jashtë vendit vitin e kaluar. "Mia! Çfarë surprize e mrekullueshme!" tha Lucy me emocion, duke e mirëpritur ngrohtësisht.

Mia solli dhurata për të gjithë, dhe ardhja e saj bëri festën edhe më të veçantë. Të gjithë shijuan darkën, duke biseduar dhe qeshur së bashku. Mia ndau histori të aventurave të saj jashtë vendit, dhe të gjithë dëgjuan, të magjepsur.

"Është kaq mirë të të shoh përsëri," i tha Lucy. "Le të mos presim një tjetër vit për të vizituar njëri-tjetrin." Mysafiri i papritur bëri mbrëmjen e paharrueshme për Lucy-n dhe mysafirët e saj. Të gjithë ishin të lumtur që qëndruan së bashku, duke shijuar shoqërinë e njëri-tjetrit.

Vocabulary

Surprise	*Surprizë*
Guest	*Mysafir*
Welcome	*Mirëpres*
Party	*Festë*
Visit	*Vizitë*
Friend	*Mik*
Dinner	*Darkë*
Gift	*Dhuratë*
Arrive	*Mbërrij*
Happy	*I lumtur*
Chat	*Bisedoj*
Invite	*Ftoj*
Family	*Familje*
Stay	*Qëndroj*
Enjoy	*Shijoj*

Questions About the Story

1. *Who was having a small party at her house?*

   a) Mia
   b) Lucy
   c) Sarah

2. *What was Lucy's hope for the party?*

   a) That the food would be delicious
   b) That everyone would have a good time
   c) That the party would end early

3. *Who arrived at Lucy's house as a surprise guest?*

   a) A family member
   b) A neighbor
   c) Mia, her friend who had moved abroad

4. *What did Mia bring to the party?*

   a) A cake
   b) Gifts for everyone
   c) Flowers

5. *What was everyone's reaction to Mia's stories about her adventures abroad?*

   a) Bored
   b) Amazed
   c) Confused

Correct Answers:

1. b) Lucy
2. b) That everyone would have a good time
3. c) Mia, her friend who had moved abroad
4. b) Gifts for everyone
5. b) Amazed

- Chapter Sixty-Three -
THE ENVIRONMENTAL PROJECT

Projekti Mjedisor

Klasa e Z. Smith vendosi të fillonte një projekt mjedisor. "Duhet të kujdesemi për planetin tonë," u tha ai studentëve të tij. Të gjithë ranë dakord të përqendroheshin në riciklimin dhe pastrimin e parkut lokal.

Studentët mbledhën mbetje, i ndanë për riciklim dhe mbollën pemë të reja. "Çdo pak ndihmon," shpjegoi Z. Smith ndërsa punonin së bashku për të pastruar. Ata gjithashtu bënë tabela për të inkurajuar të tjerët të mbajnë parkun të pastër dhe të riciklojnë.

Në fund të projektit, parku dukej më mirë se kurrë. Studentët ndiheshin krenarë për punën e tyre. "Kemi bërë një ndryshim të vërtetë," thanë ata. Ata filluan një fushatë në shkollën e tyre për të ngritur ndërgjegjësimin rreth rëndësisë së riciklimit dhe kursimit të energjisë.

Projekti i tyre tregoi për të gjithë se duke punuar së bashku, mund të bënin komunitetin e tyre më të gjelbër dhe më të pastër. Ata mësuan se edhe veprimet e vogla mund të kenë një ndikim të madh në mjedis.

Vocabulary

Environment	Mjedis
Project	Projekt
Recycle	Rikloj
Clean	Pastr
Pollution	Ndodhi
Plant	Bimë
Earth	Tokë
Conservation	Konservim
Waste	Mbetje
Green	I gjelbër
Energy	Energji
Save	Kurs
Nature	Natyrë
Campaign	Fushatë
Awareness	Ndërgjegjësim

Questions About the Story

1. *What was the main focus of Mr. Smith's class's environmental project?*

    a) Planting flowers
    b) Cleaning a local park and focusing on recycling
    c) Building birdhouses

2. *What did Mr. Smith tell his students about the importance of the project?*

    a) "We need to take care of our planet."
    b) "This is just for a grade."
    c) "It's too late to make a difference."

3. *What actions did the students take during their environmental project?*

    a) They only planted trees
    b) They gathered waste, separated it for recycling, and planted new trees
    c) They watched documentaries on recycling

4. *What did the students start in their school after the project?*

    a) A dance club
    b) A campaign to raise awareness about recycling and conserving energy
    c) A cooking class

Correct Answers:

1. b) Cleaning a local park and focusing on recycling
2. a) "We need to take care of our planet."
3. b) They gathered waste, separated it for recycling, and planted new trees
4. b) A campaign to raise awareness about recycling and conserving energy

- Chapter Sixty-Four -
A DAY AT THE AQUARIUM

Një Ditë në Akuarium

Anna dhe vëllai i saj Tom vizituan akuariumin në një ditë të diellte të shtunës. "Nuk mund të pres të shoh peshkaqenët dhe delfinët," tha Tom me emocion ndërsa hynin.

Ata filluan turin e tyre te rezervuari i madh ku notonin peshq të ngjyrshëm mes koraleve. "Shiko atë peshkaqen të madh!" tregoi Anna. Ata shikuan me habi ndërsa peshkaqeni lundronte nëpër ujë.

Më pas, panë një shfaqje me delfinë. Delfinët kërcenin dhe bënin truke, duke bërë që të gjithë të duartrokisnin dhe brohorisnin. "Delfinët janë kaq të zgjuar," tha Tom, i impresionuar.

Ata mësuan shumë nga udhëheqësi, i cili u tregoi për jetën detare dhe si të mbrojnë detin dhe krijesat e tij. Anna dhe Tom panë shumë ekspozita, përfshirë një me meduza që ndriçonin në errësirë.

"Isha një ditë e mahnitshme," tha Anna ndërsa largoheshin. "Mësova aq shumë dhe pashë kaq shumë peshq të bukur." Ata premtuan të ktheheshin së shpejti, të etur për të mësuar më shumë rreth botës nënujore.

Vocabulary

Aquarium	*Akuarium*
Fish	*Peshk*
Shark	*Peshkaqen*
Tank	*Rezervuar*
Coral	*Korale*
Marine	*Detar*
Dolphin	*Delfin*
Exhibit	*Ekspozitë*
Sea	*Det*
Tour	*Tur*
Water	*Ujë*
Creature	*Krijesë*
Guide	*Udhëheqës*
Learn	*Mësoj*
Jellyfish	*Meduzë*

Questions About the Story

1. What activity did Anna and her brother Tom decide to do on a sunny Saturday?

    a) Visit the zoo
    b) Go to the aquarium
    c) Attend a concert

2. What were Tom's feelings about seeing sharks and dolphins at the aquarium?

    a) Indifferent
    b) Scared
    c) Excited

3. Which exhibit did Anna and Tom start their tour with at the aquarium?

    a) Dolphin show
    b) Jellyfish exhibit
    c) Shark tank

4. What did Tom find impressive at the aquarium?

    a) The size of the sharks
    b) The intelligence of dolphins
    c) The color of the coral

5. What did Anna and Tom do at sunrise at the aquarium?

    a) Witnessed the canyon's illumination
    b) Took photographs
    c) Watched a dolphin show

Correct Answers:

1. b) Go to the aquarium
2. c) Excited
3. c) Shark tank
4. b) The intelligence of dolphins
5. a) Witnessed the canyon's illumination

- Chapter Sixty-Five -
THE COSTUME PARTY

Festa e Kostumeve

Emily ishte e emocionuar. Ajo po organizonte një festë me kostume me temë përrallat. "Nuk mund të pres të shoh kostumet e të gjithëve," mendoi ajo ndërsa dekoronte shtëpinë e saj me drita të ngjyrosura dhe maska.

Nata e festës, miqtë erdhën të veshur si personazhe të ndryshme përrallash. Emily kishte veshur një fustan të bukur princeshe, dhe shoku i saj Max erdhi si një kalorës. Muzika mbushi dhomën, dhe të gjithë vallëzuan dhe qeshën së bashku.

U zhvillua një konkurs për kostumin më të mirë. Të gjithë votuan, dhe Max fitoi çmimin për kostumin e tij krijues të kalorësit. Ata luajtën lojëra, hëngrën ushqime të shpejta, dhe dhoma u mbush me gëzim dhe të qeshura.

"Është festa më e mirë ndonjëherë!" ranë dakord të gjithë. Festa e kostumeve ishte një sukses, dhe Emily ishte e lumtur që pa miqtë e saj duke u argëtuar kaq shumë.

Vocabulary

Costume	*Kostum*
Party	*Festë*
Dress up	*Veshem*
Theme	*Temë*
Mask	*Maskë*
Dance	*Vallëzim*
Music	*Muzikë*
Prize	*Çmim*
Character	*Personazh*
Fun	*Argëtim*
Invite	*Ftoj*
Decorate	*Dekoroj*
Snack	*Ushqim i shpejtë*
Game	*Lojë*
Laugh	*Qesh*

Questions About the Story

1. *What was the theme of Emily's costume party?*

   a) Pirate Adventure
   b) Fairy Tale
   c) Superheroes

2. *What costume did Emily wear to the party?*

   a) A pirate
   b) A fairy
   c) A princess

3. *Who won the best costume contest at the party?*

   a) Emily
   b) Max
   c) Sarah

4. *What did Max dress up as for the costume party?*

   a) A wizard
   b) A knight
   c) A dragon

5. *What activities did guests enjoy at the costume party?*

   a) Dancing and playing games
   b) Watching a movie
   c) Swimming

Correct Answers:

1. b) Fairy Tale
2. c) A princess
3. b) Max
4. b) A knight
5. a) Dancing and playing games

- Chapter Sixty-Six -
THE OLD MAP

Harta e Vjetër

Xheku gjeti një hartë të vjetër në bodrumin e gjyshit të tij. "Duket si një hartë thesari," tha ai i emocionuar. Harta çonte në një thesar të fshehur në një ishull të largët, shënuar me një 'X'.

I etur për aventurë, Xheku mori busullën, hartën e vjetër dhe nisi udhëtimin. Udhëtimi ishte i mbushur me emocione dhe sfida. Ai lundroi nëpër dete të trazuara dhe eksploroi shtigje të panjohura.

Duke ndjekur të dhënat në hartë, Xheku kërkoi në ishull. Pas orësh kërkimi, ai gjeti 'X'-in pranë një peme të lashtë. Ai gërmoi dhe zbuloi një arkë plot me ar dhe bizhuteri.

"Ky është aventura më e madhe e jetës sime," tha Xheku, i mahnitur nga gjetja e tij. Harta e vjetër e çoi atë në një thesar të vërtetë, sikurse në legjendat.

Vocabulary

Map	*Hartë*
Treasure	*Thesar*
Explore	*Eksploroj*
Compass	*Busull*
Adventure	*Aventurë*
Island	*Ishull*
X (marks the spot)	*X (shënon vendin)*
Search	*Kërkoj*
Find	*Gjej*
Clue	*Të dhënë*
Journey	*Udhëtim*
Old	*I vjetër*
Legend	*Legjendë*
Path	*Shteg*
Discover	*Zbuloj*

Questions About the Story

1. *Where did Jack find the old map?*

    a) In his grandfather's attic
    b) In a library book
    c) Buried in his backyard

2. *What did Jack believe the old map led to?*

    a) A hidden treasure
    b) A secret cave
    c) An ancient ruin

3. *Where was the treasure hidden according to the map?*

    a) Under a bridge
    b) Inside a cave
    c) On a distant island

4. *What did Jack use to navigate to the treasure?*

    a) A GPS device
    b) Stars
    c) A compass

5. *What challenge did Jack face on his journey?*

    a) Rough seas
    b) Desert crossing
    c) Mountain climbing

Correct Answers:

1. a) In his grandfather's attic
2. a) A hidden treasure
3. c) On a distant island
4. c) A compass
5. a) Rough seas

- Chapter Sixty-Seven -
A SPACE ADVENTURE

Aventura Hapësinore

Lucy ëndërronte të eksploronte hapësirën. Një ditë, ajo u bë astronaut dhe u zgjodh për një mision në Mars. "Jam gati për këtë aventurë hapësinore," tha ajo, duke hipur në raketë.

Ndërsa raketa nisej, Lucy ndjeu emocionin e lënies pas gravitetit të Tokës. Ajo pa yje, planete dhe gjithësi të gjerë përmes dritareve të anijes.

Misioni përfshinte orbitimin e Marsit, mbledhjen e të dhënave dhe kërkimin për shenja jete. Lucy dhe ekipi i saj zbuluan një gur të çuditshëm, ndriçues që nuk ishte nga Marsi. "A mund të jetë nga jashtëtokësorët?" u pyetën ata.

Pas përfundimit të misionit të tyre, ata u kthyen në Tokë si heronj. Aventura hapësinore e Lucy-s ishte më emocionuese se sa kishte imagjinuar ndonjëherë, duke e bërë të etur për udhëtimin e ardhshëm ndër yje.

Vocabulary

Space	*Hapësirë*
Rocket	*Raketë*
Planet	*Planet*
Star	*Yll*
Astronaut	*Astronaut*
Orbit	*Orbitë*
Galaxy	*Galaksi*
Moon	*Hënë*
Alien	*Jashtëtokësor*
Shuttle	*Anije hapësinore*
Universe	*Gjithësi*
Mission	*Mision*
Telescope	*Teleskop*
Launch	*Nisje*
Gravity	*Gravitet*

Questions About the Story

1. *What was Lucy's dream that came true?*

   a) Becoming a teacher
   b) Exploring the ocean
   c) Exploring space

2. *What planet was Lucy's mission focused on?*

   a) Mars
   b) Venus
   c) Jupiter

3. *What did Lucy and her team discover on their mission?*

   a) A strange, glowing rock
   b) A new form of life
   c) Water

4. *How did Lucy feel during the rocket launch?*

   a) Scared
   b) Thrilled
   c) Sick

5. *What was the purpose of Lucy's mission to Mars?*

   a) To plant a flag
   b) To orbit Mars and collect data
   c) To meet aliens

Correct Answers:

1. c) Exploring space
2. a) Mars
3. a) A strange, glowing rock
4. b) Thrilled
5. b) To orbit Mars and collect data

- Chapter Sixty-Eight -
THE LOST CITY

Qyteti i Humbur

Anna, një arkeologe, kishte qenë gjithmonë e magjepsur nga legjenda e një qyteti të humbur të fshehur thellë në xhungël. Një ditë, ajo gjeti një hartë të lashtë në një libër të vjetër, që shënonte vendndodhjen e rrënojave. "Kjo mund të jetë ajo," mendoi ajo, zemra e saj duke rrahur me emocion.

Duke mbledhur ekipin e saj, Anna nisi një ekspeditë. Ata kaluan nëpër xhungël të dendur, të udhëhequr nga harta. Pas ditësh kërkimi, ata hasën në rrënoja të mbuluara me hardhi të trasha.

"Është qyteti i humbur!" shpërtheu Anna. Ata eksploruan rrënojat, duke gjetur artifakte dhe një tempull madhështor. Çdo zbulim ishte një çelës për të kuptuar qytetërimin që kishte lulëzuar atje.

Ndërsa zbuluan sekretet e së kaluarës, Anna kuptoi se kishin zgjidhur një mister që kishte shqetësuar arkeologët për shekuj. Qyteti i humbur nuk ishte më një legjendë, por një zbulim i jashtëzakonshëm që hodhi dritë mbi një qytetërim të lashtë.

Vocabulary

City	Qytet
Lost	I humbur
Ruins	Rrënoja
Ancient	I lashtë
Explore	Eksploroj
Mystery	Mister
Expedition	Ekspeditë
Map	Hartë
Jungle	Xhungël
Discover	Zbuloj
Artifact	Artifakt
Legend	Legjendë
Archaeologist	Arkeolog
Temple	Tempull
Civilization	Qytetërim

Questions About the Story

1. *What inspired Anna to embark on her expedition?*

   a) A documentary
   b) A dream
   c) An ancient map

2. *Where was the lost city located?*

   a) In the desert
   b) Deep in the jungle
   c) Under the sea

3. *What did Anna and her team find in the ruins?*

   a) Gold coins
   b) A treasure chest
   c) Artifacts and a grand temple

4. *How did Anna feel when she first saw the ruins?*

   a) Terrified
   b) Excited
   c) Disappointed

5. *What did the expedition team use to guide them through the jungle?*

   a) The stars
   b) A compass
   c) An ancient map

Correct Answers:

1. c) An ancient map
2. b) Deep in the jungle
3. c) Artifacts and a grand temple
4. b) Excited
5. c) An ancient map

- Chapter Sixty-Nine -
THE MAGIC POTION

Përbërja Magjike

Elena, një shtrigë e re, ishte e vendosur të përgatisë një përbërje magjike që mund të shëronte çdo sëmundje. Ajo kishte gjetur një recetë në një libër të lashtë magjish, por kishte nevojë për përbërës të rrallë. Receta ishte një sekret i trashëguar brez pas brezi nga shtrigat, një dëshmi e fuqisë së tyre mistike.

Me kazanin e saj të gatshëm, Elena doli për të mbledhur përbërësit nga pylli i magjepsur. Ajo gjeti bimë magjike, ujë të magjepsur, dhe lulehënën e rrallë, e cila lulëzonte vetëm nën hënën e plotë. Këta përbërës kishin fuqinë për të transformuar shëndetin dhe për të shëruar të sëmurët.

Mbrapa në shtëpinë e saj, Elena përzieu me kujdes përbërësit, duke thirrur formulën magjike. "Le të sjellë kjo përbërje shërim," pëshpëriti ajo ndërsa përbërja vlojti, duke lëshuar një dritë të butë. Ajri u mbush me një energji mistike ndërsa përbërja fillonte të transformohej para syve të saj.

Kur në fund e shishte përbërjen magjike, Elena e dinte që kishte krijuar diçka të veçantë. Ajo e ndau atë me ata që kishin nevojë, dhe përbërja bëri mrekulli, duke i fituar mirënjohjen e shumëkujt. Sekreti i recetës së përbërjes u bë një legjendë, duke frymëzuar brezat e ardhshëm.

Elena's përbërja magjike ishte një dëshmi e aftësive dhe zemrës së saj, duke treguar se me vendosmëri, një prekje magjie dhe përbërjet e duhura, mund të bësh botën një vend më të mirë.

Vocabulary

Potion	*Përbërje*
Magic	*Magji*
Witch	*Shtrigë*
Spell	*Formulë*
Brew	*Përgatis*
Cauldron	*Kazan*
Ingredient	*Përbërës*
Enchant	*Magjeps*
Bottle	*Shishe*
Secret	*Sekret*
Recipe	*Recetë*
Transform	*Transformoj*
Power	*Fuqi*
Mystical	*Mistik*
Heal	*Shëroj*

Questions About the Story

1. *What was Elena determined to brew?*

   a) A love potion
   b) A magic potion to heal illnesses
   c) A potion for eternal youth

2. *Where did Elena find the recipe for the magic potion?*

   a) In an ancient spell book
   b) From a friend
   c) Online

3. *What was unique about the moonflower?*

   a) It glowed in the dark
   b) It was poisonous
   c) It only bloomed under a full moon

4. *What did Elena chant while mixing the potion?*

   a) A song of joy
   b) A traditional witch's hymn
   c) "Let this potion bring healing"

5. *What effect did the magic potion have?*

   a) It caused laughter
   b) It healed illnesses
   c) It turned things invisible

Correct Answers:

1. b) A magic potion to heal illnesses
2. a) In an ancient spell book
3. c) It only bloomed under a full moon
4. c) "Let this potion bring healing"
5. b) It healed illnesses

CONCLUSION

Congratulations on completing "69 Short Albanian Stories for Beginners." This journey through the Albanian language has taken you across cultural and geographical boundaries, enriching your understanding and sparking your curiosity.

Your commitment to expanding your Albanian vocabulary and mastering foundational skills for communication is commendable. These stories have been specifically curated for beginners, equipping you with the knowledge to use Albanian in various real-world contexts.

Embarking on the path of language learning is a journey of endless discovery, not just about the language itself but about the possibilities it unlocks. It is a bridge to new ways of thinking, a tool for connecting with others, and a means to explore the vast world of literature and communication.

I am eager to hear about your experiences and the adventures these stories have taken you on. Please share your journey with me on Instagram: **@adriangruszka**. Your progress, challenges, and insights are a source of inspiration and celebration. If this book has sparked joy in your language learning process, feel free to mention it on social media and tag me. Your feedback and stories are incredibly valuable.

For additional resources, deeper insights, and updates, visit **www.adriangee.com**. Here, you'll find a supportive community of fellow language learners and enthusiasts, as well as materials to further aid your exploration of the Albanian language.

Embrace the ongoing adventure of learning Albanian, and remember, each story you've read is a step further in your journey of cultural discovery and linguistic mastery. Faleminderit dhe urime! (Thank you and congratulations!)

- Adrian Gee

CONTINUE YOUR LANGUAGE JOURNEY:
Discover "69 More Albanian Stories for Intermediate Learners"

Are you on a quest to deepen your mastery of the Albanian language and enrich your vocabulary even further? Have you surpassed the beginner stages and crave more complex narratives that challenge and delight? If you've nodded in agreement, then the next step in your linguistic adventure awaits!

"69 More Albanian Short Stories for Intermediate Learners" is meticulously crafted for those who have already laid the groundwork with our beginner's collection and are ready to elevate their skills. This sequel not only broadens your linguistic horizons but also delves into more sophisticated themes and structures, perfectly suited for the intermediate learner eager for growth.

In this continuation of your Albanian language journey, you will discover:

- A curated selection of engaging stories designed to fit the intermediate Albanian learner's needs, ensuring a seamless transition to more advanced material.
- Enhanced vocabulary and grammatical structures, presented within compelling narratives that keep learning both effective and enjoyable.
- Cultural nuances and deeper insights into the Albanian-speaking world, offering a richer understanding of the language's context and usage.
- Practical examples and exercises that reinforce your learning, encouraging active application and retention of new knowledge.

Don't let your language learning momentum fade. With "69 More Short Albanian Stories for Intermediate Learners," you're not just advancing your Albanian proficiency; you're immersing yourself in a world of captivating stories that inspire, educate, and entertain. Ready to take the next step in your Albanian language journey and unlock new levels of fluency? Join us, and let's turn the page together towards intermediate mastery.

Made in the USA
Coppell, TX
27 September 2024

37793362R00256